*Madame de St*

# Le trésor de Nanette

*Roman*

ISBN : 978-3-98881-724-2


10  9  8  7  6  5  4  3  2  1

Madame de Stolz

# Le trésor
# de Nanette

Roman

# Table de Matières

# I

*La petite femme de ménage.*

Quatre poules, un agneau, trois lapins, c'était toute la fortune de Madeleine, enfant de treize ans, seul appui d'une pauvre veuve qui avait encore deux petits garçons en bas âge. Le père de famille était mort depuis dix-huit mois. La mère avait lutté de toutes ses forces contre le malheur, mais sa santé ébranlée la rendait inhabile aux rudes travaux de la campagne, et d'ailleurs ses jeunes enfants demandaient des soins assidus ; malgré son courage et sa bonne volonté, la misère menaçait la chaumière des orphelins ; ce n'était pas cette misère désespérante des grandes villes ; non, il y avait toujours des roses dans le petit jardin, des parfums dans l'air, un tapis de verdure pour reposer les yeux. Ce n'était pas non plus cette pauvreté hardie qui se plaît à montrer ses haillons et son visage sombre pour attirer la pitié. Brigitte aurait abrégé le temps de son sommeil plutôt que de laisser ses enfants courir dans le village avec des habits déchirés. Au pantalon noir du bon petit Jacques, il y avait une pièce marron parfaitement mise, et qui témoignait en faveur de la ménagère.

Que faire cependant quand on est trop malheureux, quand les forces manquent, quand on sent qu'on ne peut plus suffire aux besoins qui se renouvellent tous les jours ? Faut-il perdre toute confiance ? Non, assurément, puisque la Providence est toujours là ; Brigitte le savait bien.

Un matin, il y eut entre la mère et la fille le dialogue suivant :

« Madeleine, il est tard, lève-toi, ouvre les volets ; je suis tout à fait malade, je n'en puis plus, il faut que tu fasses la petite femme de ménage.

– Me voici, n'aie pas peur, maman, je suis grande à présent, j'ai eu treize ans hier ! Mais qu'as-tu donc ? Comme tu es rouge !

– J'ai plus de fièvre qu'à l'ordinaire.

– Oh ! chère petite mère, attends, je vais me dépêcher, et je te ferai de bonne tisane de notre jardin : tu sais que j'ai fait sécher des violettes pour te guérir ? Et puis, dès que nous aurons un peu d'argent, je te mettrai un petit pot-au-feu, pour toi seule, et tu verras, ce sera comme du velours sur ton estomac.

– Quand nous aurons de l'argent, oui... mais comment en gagner ? je suis trop malade, et tu es trop jeune.

– Oh ! que non ! Laisse-moi faire, j'ai des idées qui roulent dans ma tête, tout s'arrangera. »

En parlant ainsi, Madeleine ouvrait les volets et respirait l'air frais et sain de la campagne qui, à cette heure matinale, réjouit le cœur. Elle referma la fenêtre, se mit à genoux au pied de son lit, fit une prière très courte, mais la fit de bon cœur, et se donna tout entière à l'ouvrage.

« Voyons, par où commence-t-on, dit-elle, quand on est la petite femme de ménage ?

– Fais d'abord un peu de feu, répondit la maman, pour cuire des pommes de terre, nous n'avons pas autre chose ; il nous reste bien peu de bois, n'en mets pas trop !

– Non, non, je suis très économe. Je vais faire comme toi : on met deux tisons qui se touchent et brûlent par le bout, un peu de petit bois au milieu, et puis le chaudron par-dessus. Vrai, si tu n'étais pas malade, je trouverais cette matinée charmante, c'est très amusant. Faut-il réveiller les enfants ? ajouta Madeleine avec une gravité comique.

– Non, laisse-les dormir, ils sont tranquilles dans leurs petits lits, et ne se doutent pas de tout ce qui leur manque.

– Chère maman, tu as de la peine à cause de nous ; c'est grand dommage, car nous sommes très heureux. Moi d'abord, je suis ta fille et je demeure avec toi, c'est tout ce que je demande : Jacques rit toute la journée, quant à André...

– Mon pauvre André, cher poupon qui désirait tant un petit morceau de sucre hier au soir ! dire qu'il m'a fallu le lui refuser ! à son âge, vois-tu, cela paraît bien sévère, il en pleurait.

– Bonne mère, tu n'as vu que ses larmes, tu n'as pas remarqué qu'il a ri aux éclats quand je lui ai fait une cocotte en papier.

– Je sais que tu trouves toujours moyen de consoler ton monde. Va ! tu es une bonne fille, et j'aurais grand tort de me plaindre, puisque je suis ta mère. D'ailleurs, en partant pour un monde meilleur, ton père m'a bien dit : « Je ne te laisse pas seule avec les

La petite femme de ménage.

enfants, tu as Madeleine. » Allons, il ne faut pas que je parle de tout cela, je suis trop malade ; fais ton ménage bien doucement, je vais tâcher de sommeiller un peu.

– À la bonne heure ! Tourne-toi du côté du mur, ferme les yeux, et ne pense plus à nous. »

Brigitte jeta sur sa chère fille un regard plein de tendresse et ferma les yeux comme avait dit l'enfant, mais vainement elle essaya de ne plus penser aux objets de sa sollicitude ; une mère, même endormie, n'oublie pas ! La pauvre femme dans un demi-assoupissement voyait un monstre hideux s'approcher de sa chaumière ; ce monstre, c'était la faim à l'œil cave et menaçant qui semblait vouloir entrer de force et se précipiter sur les enfants : comment les défendre ?

La présence de Madeleine adoucissait néanmoins les inquiétudes de sa mère ; elle savait qu'il y a de grandes ressources dans le cœur d'une fille de treize ans, quand, à une profonde sensibilité, se joignent l'activité de l'action et le calme de la tête. Madeleine avait reçu de Dieu ces dons et les avait fait fructifier ; elle réfléchissait, elle savait peser, examiner, se décider pour le meilleur parti dans les plus petites choses, et c'est précisément dans les petites choses que se fait l'apprentissage de la vie.

La bonne Madeleine avait ce matin-là double mérite d'être en si belle humeur et de commencer si volontiers sa journée de ménagère, car c'était la fête de Sainte-Foy. Toutes les petites filles revêtaient leur plus beau costume, et se groupaient sur la place, regardant d'un air ébahi les joyeux apprêts qui tous les ans à pareil jour faisaient battre les cœurs.

Il y avait des chevaux de bois, des boutiques, un polichinelle, un tir, un géant, un veau à deux têtes, et plusieurs autres raretés du même goût, tout aussi jolies. De plus, on mettait à la loterie, et à peu de frais, la roue de la fortune vous jetait des macarons, une belle tasse de porcelaine, un bénitier, etc., etc. ; c'était à faire tourner la tête de joie et de plaisir. Le garde champêtre lui-même avait quitté son air sérieux pour en prendre un autre qui valait mieux cent fois ; il se pinçait les lèvres pour ne pas rire, et riait tout de même, car ses propres enfants participaient à la joie commune, et le père Lenoir était de ceux que la joie rend indulgents et meilleurs. D'ailleurs, les habitants de ce hameau fort éloigné des grandes villes étaient rarement en contradiction avec la loi, et le père Lenoir, à part son regard inquisiteur et son maintien roide et fâché, n'avait ordinairement rien à faire : deux ou trois culbutes par semaine en sortant de chez le marchand de vin, un coup de pied, trois ou quatre coups de poing, c'étaient les seuls délits connus en ce petit endroit ignoré du reste de l'univers. Aussi n'y était-il jamais question d'amendes, de voleurs, de prisons, de toutes ces vilaines choses que les journaux racontent, et qui font passer de très mauvaises nuits à leurs abonnés.

Pour en revenir à Madeleine, il était bien arrêté qu'elle ne serait point de la fête, mais qu'elle la verrait seulement en passant pour aller chez le boulanger : sa pauvre maman devait garder le lit toute la journée, et il fallait qu'elle fût bien malade, car elle était endurcie au travail et à la peine. Madeleine sentit une émotion inaccoutumée au premier son du tambourin des bateleurs, elle sauta involontairement ; mais son bon cœur lui dit que, à cause de sa maman malade et malheureuse, il ne fallait même pas penser à la fête. Elle se mit donc à balayer tout gentiment la grande chambre ouvrant sur la plaine, puis elle balaya aussi, et avec autant de soin, la petite pièce du fond qui était fort étroite et obscure. Madeleine savait qu'on doit entretenir la propreté partout, aussi bien dans les coins les plus secrets et les plus sombres que dans le milieu de la chambre. Fidèle à ce principe, qu'elle tenait de sa mère, notre ménagère allait et venait avec son balai, c'était plaisir à voir. C'est qu'elle n'aimait pas la poussière, suivante ordinaire de la paresse. De son lit, la maman qui ne dormait pas se disait :

« Elle sera bonne ouvrière, elle ne craindra pas sa peine : oh ! la brave enfant que j'ai là ! »

En effet, Madeleine se tourna et se retourna si vite et si bien que rien ne souffrit dans ce petit intérieur. L'œil d'un étranger eût pu se méprendre et attribuer à l'aisance l'aspect riant et soigné de la chambre. Les enfants proprement habillés jouaient devant la maison. Madeleine un peu lasse mais tout heureuse de s'être rendue utile, vint s'asseoir au pied du lit de sa mère et se mit à causer avec elle pour lui faire du bien, car elle sentait qu'il y a une véritable puissance dans le cœur et dans la parole d'une enfant tendrement chérie. Cependant Brigitte était bien fatiguée, elle avait

La petite femme de ménage.

lutté longtemps contre la maladie, l'heure était venue de souffrir.

## II
### *L'héritière du château.*

À cent pas de la chaumière de Brigitte, il y avait une grande et belle propriété appartenant à une autre veuve nommée M^me Tenassy. Cette dame était riche et paraissait heureuse. En voyant de loin les arbres majestueux de son parc, les passants disaient : « Qu'on doit être bien sous ces dômes de verdure ! » Et pourtant, dans sa splendide demeure, on connaissait les larmes, on se cachait pour en verser. Non, ce n'est pas le plus ou le moins de fortune qui rend joyeux, c'est uniquement le contentement intérieur.

Que d'élégance, quel confortable dans cette vaste habitation, comment ne pas s'y plaire ? Eh bien, il y avait là une jolie petite personne qui se croyait au contraire très malheureuse ; c'était Blanche, la fille unique de M^me Tenassy, l'héritière de ce château, de ces bois, de ces prairies. Vainement, depuis ses plus jeunes années, on l'avait entourée de soins intelligents, comblée de caresses, de cadeaux, d'affection ; elle, la dernière de sept enfants, et la seule qui eût survécu, recevait ces dons du ciel sans les apprécier, sans même les remarquer ; il lui semblait que cela devait être ainsi, que tout lui était dû, et qu'il lui manquait encore beaucoup de choses.

Blanche avait bon cœur, hâtons-nous de le dire ; la souffrance des autres lui faisait de la peine, elle avait pitié même des animaux, et ne faisait jamais de mal inutilement ou exprès à aucun être vivant. Mais quelle petite tête que celle de Blanche ! Étourdie, légère, elle n'était jamais attentive à l'acte qu'elle accomplissait : impatiente, presque colère, elle s'irritait de la moindre contrariété ; paresseuse et sans goût pour aucun genre de travail, elle étudiait mal, lisait peu ou sans comprendre, ce qui est fort ridicule, et demeurait par conséquent dans une ignorance honteuse.

Sa mère avait beaucoup de chagrin, et quoiqu'elle fût riche, elle se trouvait pauvre, parce qu'il lui manquait une bonne petite fille soumise, obéissante et réfléchie, telle qu'elle s'était plu à la rêver en berçant autrefois son enfant sur ses genoux.

L'éducation de Blanche se faisait mal. Sa mère, qui avait eu le dévouement de se charger de cette tâche, était obligée de recourir sans cesse aux réprimandes et même aux punitions, et chaque leçon devenait un long ennui pour la maîtresse et pour l'élève. Les années se succédaient sans rien améliorer. Blanche, à treize ans, n'était assurément ni menteuse ni gourmande ; mais, à part ces deux énormes défauts qui sont affreux, elle les avait tous, et comme elle ne luttait point, sa nature capricieuse et difficile avait pris le dessus et restait dans l'ornière comme une voiture embourbée qui ne peut regagner sa voie.

M$^{me}$ Tenassy ne savait plus quel parti prendre pour réformer sa fille et la rendre capable d'occuper un rang élevé, où elle serait plus obligée qu'une autre de donner le bon exemple.

Un jour, c'était précisément le jour de la fête du village, la matinée avait été plus orageuse que jamais. Blanche s'était levée longtemps après l'heure de son réveil, et il est à remarquer qu'une journée mal commencée est rarement une bonne journée : elle avait fait sa prière par routine en regardant les mouches voler, et il y avait beaucoup de mouches, car c'était la saison. Elle avait flâné en s'habillant, flâné au point d'employer une heure et demie à sa toilette : or, il est bien prouvé qu'une petite fille qui flâne en s'habillant se prive d'une partie de son intelligence, et se trouve inhabile à l'étude quand il lui faut s'y appliquer. L'âme est comme étrangère aux actes qu'on accomplit trop lentement, ou sans suite ; le corps agit presque seul comme une machine montée. M$^{lle}$ Tenassy, en s'habillant, faisait quantité de mouvements inutiles, et une centaine de petits pas à droite, à gauche, en avant, en arrière, allant dix fois chercher l'un après l'autre dix objets qu'elle aurait pu prendre ensemble, se lavant tout doucement, comme si elle se fût crue de verre, se peignant avec des précautions infinies, et s'interrompant sept ou huit fois pour ouvrir une porte, regarder par la fenêtre et causer avec les oiseaux. Pendant ce temps, il y avait une petite personne toute mince et gentille qui se moquait de la flâneuse, c'était l'aiguille de la pendule, trottant toujours, sans reprendre haleine, achevant son tour de promenade pour le recommencer bien vite ; et cela pendant des semaines, des mois, des ans, des siècles ! Ah ! la bonne marcheuse !

Après son déjeuner, Blanche se mit à apprendre une leçon, c'est-

L'héritière du château.

à-dire à bâiller sur un livre d'étude ; c'était sa méthode, et il est à croire que cette méthode ne vaut rien, car notre petite fille était d'une ignorance incroyable, et si parfois elle répondait assez bien aux questions qu'on lui adressait, elle ne le devait qu'à sa pénétration naturelle qui était un don du ciel. Blanche, ce jour-là, ne sut pas ses leçons, et fit vingt fautes dans sa dictée très facile. M^{me} Tenassy aimait trop sa fille pour la laisser vivre dans la paresse ; elle se fâcha, l'entretien finit par s'aigrir ; l'élève donna de très mauvaises raisons pour sa défense, et ajouta à ses torts celui beaucoup plus grave de parler à sa mère sans aucun respect. Ce fut la goutte d'eau qui fit déborder le vase trop plein ; depuis bien des mois, tout allait mal, l'enfant avait lassé la patience maternelle. M^{me} Tenassy lui déclara qu'après tant d'années d'essais infructueux, elle renonçait enfin à l'œuvre si importante de son éducation. Assurément, ce n'était pas à cause d'une leçon mal apprise que la chère maman se montrait si sévère, c'était le résultat de toutes les négligences et de toutes les fautes de Blanche. Sa mère l'abandonnait à elle-même, il fallait travailler seule, sans guide, sans encouragement : oh ! quel triste sort ! La petite fille avait trop de bon sens pour ne pas comprendre que c'était un grand malheur, et qu'elle ne devait ce grand malheur qu'à sa mauvaise conduite ; elle pleura, mais les larmes ne valent pas un seul acte de bonne volonté qui partirait du fond du cœur.

### III

*La chambre de la nourrice.*

M^{me} Tenassy, quoique n'étant plus jeune, avait encore sa nourrice qui ne l'avait jamais quittée ; c'était une excellente femme qu'elle se trouvait heureuse de garder sous son toit comme une bénédiction, et qui l'aidait à veiller sur celle que toutes deux appelaient volontiers notre enfant.

Lorsque Blanche avait mécontenté sa mère, ce qui, hélas ! arrivait souvent, la petite rebelle allait trouver la vieille Nanette pour lui conter ses peines et lui demander un conseil ; Nanette n'en donnait que de bons, elle était bien digne de la confiance illimitée que lui témoignait M^{me} Tenassy.

Deux heures après la pénible scène dont nous avons été témoins, la petite paresseuse entrait moitié boudant, moitié pleurant, dans la chambre de Nanette ! Oh ! la chambre de Nanette ! C'était un de ces sanctuaires paisibles où l'âme se retrouve et rentre facilement en elle-même. Tout y était vieux : depuis les grands ramages bleus et verts du papier jusqu'à la pelote où s'installaient en rond les aiguilles de Nanette ; ces aiguilles enfilées d'avance ressemblaient à des chevaux harnachés attendant que la diligence passe pour y être attelés et courir à leur tour.

Il y avait à côté de la table d'ouvrage un grand fauteuil à dossier mollement rembourré ; c'était un lieu de repos pour les membres roidis de celle qui avait donné son lait, son sommeil, ses forces à la maîtresse de la maison. Dans l'alcôve, un bon lit avec oreiller et édredon, un beau crucifix au-dessus d'une commode antique, quelques tableaux entourés de vieux cadres dorés, et sur la cheminée un trésor !... Oui, tout le monde savait que ce trésor était là, mais il n'était visible qu'aux yeux de M$^{me}$ Tenassy et de sa fille, encore fallait-il que Blanche eût été sage, très sage. Nanette, fidèle au culte du souvenir, ne prodiguait point aux indifférents ce qui lui était le plus cher entre tous les objets qu'elle possédait en ce monde. Quand la petite fille entra, elle jeta instinctivement les yeux sur la cheminée ; ce regard disait : « Aujourd'hui je ne suis pas digne de voir le trésor de Nounou, je me garderai bien de le lui demander. » Elle prit humblement une petite chaise sur laquelle s'était assise autrefois la nourrice pour bercer la châtelaine enfant, et qu'à cause de cela Nanette honorait comme une relique. Quand elle se vit en face de l'aimable vieille, elle ne sut que dire, ni même pourquoi elle était venue là. La nourrice le savait bien. Quand on a offensé le bon Dieu et sa maman, il est naturel de chercher un intermédiaire qui franchisse la distance et parle pour le coupable ; Nanette était toujours cet intermédiaire, et arrangeait ordinairement les affaires les plus compliquées. Ce n'était pas qu'elle donnât tort à l'autorité, mais elle savait écouter, compatir, se mettre à la place de l'enfant, et tout doucement faire naître en elle de bonnes pensées et arriver à un heureux résultat. Elle avait beaucoup de talent, la Nounou ; ce n'est pas un léger mérite que de calmer un esprit agité, de rendre doux et bon un caractère aigri, de conserver aux supérieurs leur dignité entière, tout en s'intéressant d'une manière utile aux inférieurs.

La chambre de la nourrice.

Ce jour-là, la plaie était profonde, Blanche mit bien du temps à avouer ses torts ; elle était franche pourtant, très franche ; mais il fallait annoncer la terrible décision que venait de prendre sa mère, il fallait dire ces mots bien humiliants :

« Maman ne veut plus se charger de mon éducation ! »

Quand on en vint à cette triste confidence, la nourrice ôta ses lunettes et les posa à côté de sa pelote, puis elle porta ses mains à son front comme pour calmer une douleur aiguë. Effectivement, c'était pour elle une véritable affliction de voir la paix absente du logis, de savoir qu'entre la mère et la fille il n'y avait pas cette complète sympathie qui charme l'existence.

Cependant, Nanette était tellement portée à l'indulgence qu'elle ne trouva pas une parole amère pour l'enfant, et se contenta de lui dire :

« Ma chère Blanche, vous voulez que votre maman soit heureuse, n'est-ce pas ? et vous voulez que la vieille Nounou finisse tranquillement sa vie ? Eh bien, votre maman et moi, nous sommes toutes deux malheureuses. »

Blanche avait un cœur parfait : ce mot de la nourrice lui fit une impression vive ; elle se jugea impardonnable, car il était en sa puissance de mettre du bonheur autour d'elle ou d'y jeter du malaise. La vérité se montrait à son esprit droit, mais c'était comme une lumière brillante qui éblouit plus qu'elle n'éclaire. « Je vois bien que j'ai tort, chère Nounou, dit-elle avec simplicité, mais à présent, vois-tu, je ne sais pas comment faire. C'est presque comme si je n'avais plus de maman ! »

Blanche ne put prononcer ces derniers mots sans verser un torrent de larmes. Nanette la prit avec amour sur ses genoux comme autrefois elle prenait sa maman, et, d'un son de voix tendre et caressant, elle lui dit :

« Ma chère petite, vous voilà bien à plaindre, on ne pout pas l'être davantage ! Eh bien, puisque c'est le jour le plus triste de votre vie, je veux vous dire une chose que je ne vous ai jamais dite, je vous croyais trop jeune ; mais, au fait, vous avez treize ans, et d'ailleurs, quand on est aussi affligée que vous l'êtes, on est capable d'écouter sérieusement.

– Oui, j'écouterai bien sérieusement, répondit l'enfant dont le visage exprimait un intérêt plein d'étonnement. Mais qu'as-tu donc à me dire ? Je croyais que tu m'avais raconté toutes tes histoires au moins vingt fois chacune.

– Non, ma petite amie, il y en a une que vous ne connaissez pas, et c'est celle-là que je vous raconterai. Mais je veux avant tout vous donner un grand encouragement, et si je choisis le jour où votre conduite a été ainsi blâmable, c'est parce que j'espère qu'en vous accordant une faveur réservée à vous seule, vous serez sage.

– Oh ! que tu es bonne, toi, dit Blanche en jetant ses deux bras autour du cou de la vieille Nanette ; va, c'est le bon Dieu qui te donne toutes ces pensées-là ; je sens bien que dans l'état où j'étais, si tu m'avais grondée, je n'aurais rien fait de bon. Au lieu de cela, je ne sais ce que j'ai, me voilà tout attendrie.

– Venez, dit la nourrice d'un ton grave, qui donnait à sa démarche quelque chose d'imposant, venez, je vais vous montrer mon trésor.

– Ton trésor ? mais je le connais, Nounou, tu me l'as montré cent fois. Ce sont les premiers cheveux de maman entrelacés avec ceux de ta chère petite fille que tu as perdue quand elle avait deux ans.

– Non, non, vous ne connaissez pas mon trésor tout entier ; je ne l'ai jamais fait voir à personne, si ce n'est à votre chère maman. Asseyez-vous, Blanche, sur ce petit tabouret, je vais ouvrir ma grande boîte, et vous saurez tous mes secrets, tous ! »

La bonne vieille prit en effet la boîte en palissandre dont elle portait toujours suspendue à son cou la clef mystérieuse, elle s'assit dans son grand fauteuil et ouvrit son trésor.

« Voici bien les cheveux blonds de mes deux anges, dit-elle avec une grande douceur, l'un est au ciel, bien joyeux aux pieds du Seigneur Jésus, l'autre est encore sur la terre, son bonheur est entre vos mains ; elle avance en âge, cette chère maman, elle a eu sept enfants, vous êtes venue la dernière, longtemps après les autres, et elle n'a conservé que vous ; voudriez-vous la faire pleurer ?

– Non, non, je ne veux pas la faire pleurer, dit avec effusion la pauvre enfant ; mais, comme je te le disais tout à l'heure, je ne sais plus comment faire.

– Vous le saurez quand vous aurez vu le trésor de Nounou, et quand elle vous aura conté sa belle histoire. »

La chambre de la nourrice.

En même temps, Nanette soulevait la partie supérieure de la boîte, et Blanche apercevait pour la première fois une tache de sang sur un petit morceau de soie verte, des feuilles de fraisier presque tombées en poussière, une tulipe mal peinte, un bouquet de fleurs d'oranger.

– Qu'est-ce que tout cela ? dit-elle. Explique-moi, Nanette, ce que ces objets signifient ; je n'y comprends rien, parle, parle vite.

– Vous comprendrez tout, ma chère enfant, quand vous saurez ma belle histoire ; allons, laissons la boîte ouverte et commençons. »

Blanche, en voyant le ton sérieux que prenait la nourrice, se sentait elle-même recueillie jusqu'au fond du cœur, et Nanette prit la parole :

« Ce que j'ai à vous dire n'est point un conte, c'est une histoire véritable, l'histoire de votre maman.

– L'histoire de maman ! s'écria Blanche. Oh ! quel bonheur ! Tu dois bien la savoir, puisque tu as toujours vécu avec elle, tu me diras tout ?

– Oui, à condition que vous imiterez son exemple, parce que, voyez-vous, je vous le dis encore une fois, j'ai aimé deux anges ! oui, votre maman est un ange de bonté et de vertu ; je commence. »

Juste au moment que la nourrice disait : je commence, une voix perçante cria du bas de l'escalier :

« Madame Nanette, madame Nanette, vite, vite, un grand drap, le feu est à la cheminée de la cuisine !

– Allons, voilà qu'ils vont mettre le feu à la maison à présent, murmura la bonne vieille, dont la figure perdit tout à coup son expression suave et caressante. Les domestiques d'aujourd'hui ne savent qu'inventer pour faire enrager leur monde ! »

Le beau trésor fut caché précipitamment, la boîte fermée à clef, et Nanette, un grand drap entre les bras, s'achemina vers la cuisine pour gronder un peu d'abord, puis aider ensuite à éteindre le feu.

La nourrice, précisément à cause de son affection vraiment maternelle pour M$^{me}$ Tenassy et pour sa fille, n'avait pu se défendre en vieillissant d'un peu d'aigreur contre les négligences perpétuelles des domestiques : aussi les gens de la maison ne l'aimaient-ils pas beaucoup : elle grondait souvent, c'était sa faiblesse ; elle avait au fond toujours raison, on ne le lui pardonnait pas ; chacun disait et répétait sans pitié : « Elle est toujours de mauvaise humeur, la bonne femme ! » On ne comprenait pas dans ce cercle vulgaire qu'il fallait faire la part de l'âge, des infirmités, et que, sous cette enveloppe un peu rude, par manque d'éducation première, il y avait une âme délicate capable de toutes les tendresses et de tous les sacrifices.

## IV

### Les deux sous de Brigitte.

« Voyez voir, cinq sous et treize sous ! Voyez voir, messieurs et dames, cinq sous et treize sous ! »

Ce cri cent fois répété en un quart d'heure attirait les passants auprès d'une boutique installée à la hâte sur la place du village, et remplie de menus objets d'un usage journalier, tels que peignes, brosses, miroirs, jarretières, etc., etc. ; de temps en temps, une femme ou une jeune fille s'arrêtait, et, après avoir mûrement examiné l'étalage, se décidait à faire son emplette. Une petite paysanne de treize ans passa aussi devant la boutique, et s'arrêta, mais seulement pour regarder, car elle était trop pauvre pour acheter quoi que ce fût. Elle portait un pain de quatre livres, avec un peu de lait pur pour l'agneau, c'était la seule provision du jour, et pourtant il y avait bien du monde à la maison, car Madeleine ne manquait jamais de dire :

« Nous sommes cinq en comptant Loulou. »

Loulou, c'était le plaisir, le jouet, plus que cela, le petit ami de Madeleine.

Un moment distraite par la vue de toutes les belles choses qui se faisaient sur la place, la petite fille conservait néanmoins une expression de tristesse peu ordinaire à son âge. En vain une femme, avec un geste expressif, lui faisait-elle signe d'entrer sous une tente, où l'on voyait, disait-on, des merveilles ; Madeleine paraissait ne pas voir et ne pas entendre. Elle jeta pourtant un regard furtif sur les chevaux de bois, c'était ce qui lui plaisait le plus, et cela ne coûtait que deux sous ! ces deux sous, l'enfant les tenait dans sa main, mais ils étaient trop nécessaires à la maison, il fallait voir les autres se divertir et n'avoir, soi, que du travail et du chagrin.

« Allons, messieurs et dames, criait la femme aux merveilles avec un accent emphatique, entrez, entrez ; tout à l'heure, c'était quatre sous, maintenant ce n'est plus que trois sous. Allons, un peu de courage ! vous allez voir un géant comme vous n'en avez jamais vu, un véritable Hercule qui vous écraserait tous avec deux doigts, et qui est doux comme un mouton. Vous allez voir un veau des bords de la Baltique, un monstre à deux têtes, qui vivrait encore si on ne l'avait pas tué ! Vous allez voir un serpent capable d'enlacer tout le pays dans sa longueur, et dressé comme un chien à caresser son maître, vous allez voir... Entrez, entrez, tout à l'heure c'était trois sous, maintenant ce n'est plus que deux sous ! »

Encore une tentation pour Madeleine : ces deux sous qu'elle cachait dans sa main pouvaient lui procurer un plaisir très vif, mais il fallait s'en priver, se priver de tout. Oh ! si l'on savait comme l'enfant du pauvre a le cœur gros quand il voit jouir ceux qui l'entourent, et qu'il se dit : « Moi, je n'aurai rien ! moi, je ne verrai rien ! Et cette occasion ne se retrouvera pas d'ici bien longtemps ! »

Madeleine cependant fit bonne contenance, elle sut même ne pas répondre à quelques méchants enfants en habits de dimanche, qui, en entrant sous la tente, lui adressaient à elle, des paroles moqueuses à propos de sa vieille robe de tous les jours. Madeleine pensa que rester là dans ces conditions était plus pénible encore que de rentrer de suite chez sa mère ; elle quitta donc ce lieu de plaisir où elle était comme étrangère, et franchit le seuil du logis en disant :

« Maman, j'ai acheté du pain et du lait, je rapporte deux sous.

– Mets-les bien vite sous la tasse blanche, ma fille, il faut les épargner soigneusement ; car, le croirais-tu, ma pauvre Madeleine, c'est tout ce qui nous reste.

– C'est tout ce qui nous reste ! mais comment ferons-nous demain ?

– J'espère que le boulanger, sachant que je suis malade, voudra bien nous donner du pain à crédit ; s'il n'y consent pas, il y a toujours là-haut quelqu'un qui nous regarde, n'est-ce pas, Madeleine ? Comment donc aurions-nous peur ? Les oiseaux trouvent leur nourriture, et nous, ne sommes-nous pas plus que les oiseaux ? »

La petite villageoise se rendit aussitôt à la pensée de sa mère et répondit :

« C'est vrai, M. le curé a dit un jour au prône qu'on n'avait jamais vu un bon chrétien mourir de faim. Que faut-il que je fasse toute la journée, maman, pour être une bonne chrétienne ?

– Il faut consentir du fond du cœur à la pauvreté que Dieu t'envoie ; c'est difficile, mais on en vient à bout. Il faut ensuite renoncer bien courageusement aux plaisirs de la fête, puisque tu ne peux en jouir comme les autres : y renoncer, cela n'est pas facile non plus à ton âge ?

– Je le sais, je viens de le faire, dit naïvement la bonne fille, ça donne envie de pleurer.

– Quand même on en pleurerait, le bon Dieu ne s'en fâcherait pas, mon enfant, pourvu qu'on ne murmure ni tout bas, ni tout haut.

– Et puis après, maman, que dois-je faire encore ?

– Veiller sur les enfants, aller et venir dans la maison selon le besoin, faire de l'herbe le long de la route pour nos lapins, et puis soigner sa chère maman afin qu'elle soit bientôt guérie.

– Oh ! que tout cela est aisé, dit joyeusement Madeleine ; oui, je serai une bonne petite chrétienne toute la journée, encore demain, et puis toujours, et le bon Dieu ne nous abandonnera jamais. »

Après avoir ainsi parlé, elle s'occupa comme une vraie fermière des affaires de la maison. Sa petite tête savait très bien diviser le temps et organiser les choses pour satisfaire à tout de son mieux. À la vérité, elle manquait d'expérience, mais son obéissance y suppléait, et elle accomplissait à merveille les moindres ordres de sa mère.

« Maman, dit-elle avec la confiance que donne l'extrême jeunesse, si tu savais comme je voudrais gagner de l'argent pour toi ! Comment donc faire ?

– Tu n'as pas treize ans, hélas !

– C'est égal, qui sait ? j'ai des idées ! »

La malade sourit malgré sa langueur, et Madeleine se remit à l'ouvrage.

Les deux sous de Brigitte.

Pendant qu'elle travaillait, on s'amusait sur la place, et rien ne troublait la joie publique ; on avait su pourtant que le feu était au château, mais c'était un feu de cheminée promptement éteint par les domestiques ; on riait, on dansait, on faisait en famille de copieux repas, mais le bonheur des uns n'empêche pas le malheur des autres.

Un pauvre vieillard passa par le pays, allant de maison en maison mendier quelques sous qu'il mettait dans sa bourse de cuir, ou un morceau de pain qu'il joignait à ses misérables provisions. Il s'arrêta devant la chaumière de Brigitte et demanda du secours pour l'amour de Dieu. Madeleine baissa les yeux ; qu'avait-on à donner ? Rien. Un éclair passa sur le visage abattu de la veuve, elle fit signe à sa fille de s'approcher de son lit, et lui dit à voix basse :

« Mon enfant, nous n'avons plus que deux sous à la maison : si nous les donnions pour l'amour de Dieu ? qu'en penses-tu ?

– Oh ! oui, oui, donnons-les, dit Madeleine avec élan. – Et les prenant sous la tasse blanche, elle les mit dans la main du vieillard en faisant un grand salut.

– Dieu vous le rendra, ma belle enfant, et plus tôt que vous ne le pensez », dit le malheureux. Puis il continua sa tournée et s'arrêta au seuil de beaucoup d'autres maisons, où personne ne fit attention à lui, tant on s'amusait.

Arrivé devant la grille du château, il s'arrêta encore. Ce fut la nourrice qui lui remit, selon l'usage de M$^{me}$ Tenassy, une pièce de deux sous, aumône accordée à tout inconnu qui demandait en traversant le village.

« Merci, mes bonnes dames, dit le vieillard en regardant Nanette et Blanche, car elles étaient ensemble ; merci, je vous suis bien reconnaissant, d'autant plus que tout le monde m'a repoussé ; on est trop heureux dans ce pays-ci !

– Ne vous fâchez-pas, mon brave, répondit en riant la nourrice ; aujourd'hui c'est la fête, on n'a pas la tête à soi, voyez-vous ?

– Ah ! c'est pour cela apparemment ; mais quand j'ai dit que tout le monde m'avait repoussé, j'ai eu tort ; il y a une pauvre chaumière isolée où l'on m'a donné deux sous. Ah ! si vous saviez ? si vous saviez ce que j'ai entendu ?...

– Quoi donc ? demanda Blanche avec vivacité.

– Ma belle demoiselle, figurez-vous que, malgré mon grand âge, j'ai encore de très bonnes oreilles ; cela vous étonne peut-être, mais c'est vrai pourtant, on ne s'en méfie point, et voilà pourquoi j'ai entendu un secret, mais un secret si triste ! »

Ici, le pauvre vieux raconta mot pour mot ce qui s'était passé chez Brigitte, et redit les paroles que Madeleine croyait avoir seule entendues.

« Comment, s'écria Blanche, plus que deux sous dans la maison ! Et les donner ! Oh ! que c'est beau !

– Oui, mademoiselle, c'est beau. Aussi, croyez bien qu'il sera envoyé un ange au secours de ces pauvres femmes ; je le leur ai annoncé, et je ne crois pas me tromper ; il y a si longtemps que je connais la Providence ! »

Blanche tira de son porte-monnaie une petite pièce qu'elle offrit au pauvre homme. Par cette histoire qu'il avait racontée, on avait fait connaissance, et il lui semblait qu'elle devait donner une autre aumône que celle de Madeleine.

Le vieillard s'éloigna. Nanette rentra au château avec Blanche, qui d'un ton humble et vrai lui dit :

« Chère Nounou, si j'étais bonne, peut-être que Dieu m'enverrait, moi, au secours de cette pauvre famille, mais j'en suis trop indigne, étant si méchante !

– Patience, répondit la nourrice, demain je vous conterai ma belle histoire, vous deviendrez bonne et le bon Dieu se servira de vous. »

## V

*L'histoire de maman.*

Le lendemain de la fête, Blanche, encore bien triste de la décision que sa mère avait prise, se rendit dans la chambre de la nourrice et lui rappela sa promesse.

Effectivement, la vieille Nanette quitta son tricot, ôta ses lunettes, prit du tabac, et, après s'être installée comme pour toujours dans son grand fauteuil, elle commença :

L'histoire de maman.

« Autrefois, dans ce château, il y eut un jour béni entre les jours : c'était un samedi du mois de mai. Il faisait beau, et l'air était doux, juste comme il fallait pour que la plus jolie petite créature du bon Dieu sortît de ses mains et fût bien aise d'entrer dans la vie ; cette jolie petite créature, c'était votre maman, à vous, et ma fille, à moi. Je dis ma fille, parce que, voyez-vous, la nourrice, c'est toujours la nourrice. Elle avait une figure charmante, elle ne criait point, mais gémissait doucement comme font les agneaux. Je la pris sur mes genoux, et il me sembla vraiment qu'elle était à moi pour de bon. Il fallait pourtant me séparer de ma vraie fille, mais que voulez-vous ? il y a des grâces pour les nourrices ; leur manière de se dévouer à leur propre enfant, c'est de lui ôter des baisers et de les donner à un autre qu'on aime à n'en plus finir. Vous ne comprenez pas ça ? Moi non plus, mais c'est tout de même.

Dans l'après-midi du dimanche, on baptisa cette chère petite, que l'on nomma Athénaïs, comme vous savez. Votre grand-mère la prit de mes bras dans les siens, quand je revins de l'église, fière comme un pacha. Ah ! la belle fête ! les cloches ont bien sonné trois quarts d'heure ! Et des dragées ! autant qu'un évêque en aurait pu bénir ! Madame la comtesse prit donc notre enfant dans ses bras, la baisa et me fit signe de reprendre mon bijou, en disant : « Que la sainte Vierge nous la garde ! »

Madame aurait désiré l'appeler Marie, mais Monsieur le comte aimait le nom d'Athénaïs, et comme votre grand-mère cherchait à le contenter en tout, il fut convenu qu'on la nommerait Marie-Athénaïs, et qu'elle répondrait au dernier de ces noms. Quelquefois, quand nous étions nous deux près du berceau, nous appelions l'enfant Marie, mais seulement pour l'histoire de rire. La chère dame ! elle était si plaisante et en même temps si comme il faut !

Mon poupon se mit dès la première semaine à grossir et grandir ; c'était extraordinaire, vrai ; je ne crois pas qu'il pût s'en trouver dans ce temps-là, et encore bien moins à présent un pareil. On aurait dit qu'elle pensait déjà à faire plaisir aux autres ; nous étions là, madame la comtesse et moi, à la regarder faire ses petites gentillesses, cher amour ! Elle n'y voyait pas clair encore qu'elle roucoulait déjà comme une vraie colombe ! Oh ! je disais bien que ce n'était pas un enfant comme les autres 1 Et certes, je ne me trompais pas. Mais pendant qu'elle dormait bien tranquille, voilà qu'il y avait des méchants qui ne pensaient qu'à faire du mal au bon Dieu et aux bonnes gens. Je ne veux pas vous conter ça tout au long, c'est trop triste. D'ailleurs, vous trouverez toutes ces vilaines choses dans vos livres, ça s'appelle la révolution ; ce n'est pas beau, il s'en faut, mais c'est très long. Hélas ! le dernier baptême qui se fit, à cette époque, dans ce pays-ci, c'est précisément celui de ma pauvre Athénaïs. Bientôt on ferma les églises, on tua les prêtres, on vola, on brûla : pour tout dire, comme c'était la crème des honnêtes gens qu'on mettait en prison et qu'on faisait mourir, votre respectable grand-père fut emmené, jugé par des coquins et guillotiné.

– Ô mon Dieu, s'écria Blanche, mais c'est affreux, nourrice !

– Oui, c'est affreux, et c'est justement à cause de ce très grand malheur que votre chère maman a sur le visage cet air un peu triste qui lui va si bien ; elle a vu et entendu tant de choses douloureuses dans sa première jeunesse ! un enfant qui venait comme un champignon pourtant ! Elle était rouge et grasse ! Elle avait tout pour elle ! des petites mains potelées, des cheveux comme les anges, un appétit bien régulier ; je vous le dis, elle avait tout pour elle !

Mais voilà qu'on se met à tuer, tuer tout le monde, si bien que madame la comtesse, voyant approcher comme tant d'autres son dernier moment, me dit un soir :

– Nourrice, voulez-vous me suivre, n'importe où ?

– Je vous suivrai dans la lune, ma chère dame, lui répondis-je.

– Eh bien, continua-t-elle, sauvons-nous cette nuit, demain il sera peut-être trop tard. J'emporte mes diamants, prenez ma fille, et nous irons en pays étranger vivre comme nous pourrons.

C'était une vraie misère. Quitter ce beau château qui était à nous ! Je dis à nous, parce que je faisais partie de la famille, la nourrice de la petite ! Enfin, mon cher poupon a fait ses dents malgré le voyage, sans fièvre, sans convulsions ; il est vrai que j'en avais bien soin, et que je tâchais de renfoncer mes larmes tant que je pouvais, car je ne vous ai pas dit, ma chère Blanche, que pendant qu'il arrivait tant de malheurs en France, il y en avait un que personne ne remarquait, parce qu'il tombait sur moi toute seule ; c'était ma pauvre petite, à moi, qui s'en allait là-haut. C'était bien fait pour elle, pauvre Jacqueline, on était si mal sur la terre dans ce temps-

L'histoire de maman.

là ; mais c'est égal, voyez-vous, une mère n'entend pas la raison, et elle ne peut voir partir sa fille, c'est comme si on lui arrachait le cœur : vous comprendrez cela quand vous aurez des enfants, pas avant.

– Chère Nounou, dit Blanche avec tendresse, tu as encore des larmes dans les yeux quand tu penses à Jacqueline ; il y a pourtant bien longtemps que tout cela est passé.

– C'est ce qui vous trompe : il y a longtemps pour les autres, mais pour la mère, c'est toujours présent. On se dit : si elle avait vécu, elle serait là, je la verrais, elle aurait tel âge, elle ferait telle ou telle chose. C'est seulement pour l'histoire de dire, car on ne peut pas savoir comment les affaires se seraient arrangées, mais que voulez-vous ? J'en suis encore là, et pourtant ma pauvre Jacqueline aurait maintenant cinquante ans sonnés. Voyons, où en sommes-nous restées ? reprenons notre histoire.

– Oh ! oui, Nanette, la belle histoire de maman.

– Nous voilà arrivées, après bien des dangers et des tracas, en Italie, où nous avons passé treize ans. Madame la comtesse avait tant de chagrin, tant de chagrin, que je voyais d'avance qu'elle en mourrait. Et je me disais : Si ce grand malheur arrive avant qu'on puisse rentrer en France, j'élèverai toute seule notre petite fille ; je lui ferai apprendre un état afin qu'elle sache se tirer d'affaire si elle doit vivre pauvre et exilée, et je tâcherai en même temps de lui conserver les belles idées et les belles manières de sa maman pour le cas où elle deviendrait une grande dame, comme cela devrait être. Voilà comme j'arrangeais les choses, et je crois que ce n'était pas trop mal.

– Et bonne maman ? Est-ce qu'elle est morte de chagrin tout de suite ?

– Non, mon enfant, elle a langui longtemps. La chère dame avait toujours devant les yeux le même spectacle, elle voyait emmener son mari qu'insultait une populace ivre de vin et de sang ; elle croyait l'entendre appeler au secours, le voir en prison, souffrir, et puis mourir. Enfin, elle avait eu l'esprit tellement frappé, que je remarquai en elle un changement total ; elle baissait, n'ayant plus de force ni dans la volonté, ni dans le corps. On aurait dit une dame âgée, tant elle était usée. L'avenir lui faisait peur, le présent lui était à charge, et quand je lui donnais notre enfant, elle ne souriait plus. Alors j'ai dit : c'est fini !

Madame la comtesse est restée dans cet état si pénible pour soi et pour les autres, où une seule idée remplace toute idée, où l'on n'aperçoit plus les petites joies que le bon Dieu vous ménage, parce qu'on regarde toujours du même côté, et qu'on a bien soin de choisir le pire ; on ne le fait pas exprès, c'est la maladie qui veut ça.

Plusieurs années se passèrent ainsi : Athénaïs ne sentait pas son malheur, elle croyait que toutes les mamans étaient comme la sienne, et j'évitais de lui faire voir des enfants heureux, afin qu'elle se contentât plus facilement de sa position. Mais l'âge arriva, et avant l'âge une raison précoce. L'enfant comprit à huit ans ce que beaucoup ignorent à douze ans et même à treize...

– Oh ! nourrice, tu dis cela pour moi.

– Comment donc ? Je n'ai nommé personne. Je continue en en passant beaucoup pour que vous n'écoutiez pas trop longtemps. Eh bien, pendant que nous étions si malheureuses, on était encore bien plus à plaindre en France. Cette belle propriété dans laquelle vous vivez avait été vendue pour des grimaces, comme on dit dans mon pays, c'est-à-dire pour une très faible somme d'argent, presque rien ; c'était comme ça dans ce temps-là, parce que tout était à l'envers.

Nous autres, en Italie, quoique vivant bien à l'étroit, nous avions épuisé les ressources provenant de notre argenterie et de nos diamants ; que restait-il ? du courage dans la nourrice et dans l'enfant pour soigner notre chère malade et lui procurer au moins le nécessaire. Quant aux délicatesses de la vie, il n'en était pas question, mais je puis vous assurer que cette respectable maîtresse a eu toutes les consolations que son triste état demandait. À qui les devait-elle, ces consolations ? Écoutez-moi bien, ma petite, à qui les devait-elle ? à votre mère enfant, à mon Athénaïs. Oui, à dix ans, elle aidait sa mère tombée dans la détresse et incapable de tout travail. Oh ! si madame la comtesse eût conservé sa santé, elle ne se fût jamais laissé vaincre par le malheur ; ces grandes âmes-là acceptent la pauvreté de la main de Dieu comme elles ont accepté la richesse, et quand tout leur manque à la fois, elles savent gagner par leur travail le pain de la famille. Travailler pour vivre, ce n'est pas déroger, Blanche, c'est souffrir. Parmi les Français émigrés en Italie, au lieu même où nous étions, il y avait une famille de grand nom tombée comme tant d'autres dans cette noble misère que les circonstances, et non le désordre, avaient fait naître. Dans cette famille, il y avait le grand-père, la maman, et cinq demoiselles. Madame la comtesse, trop malade pour faire de nouvelles connaissances, se refusait à toute démarche ; je parvins cependant à réunir Athénaïs aux enfants de cette famille dans laquelle les bonnes traditions se conservaient religieusement. Là, elle vit mettre en pratique les leçons que je lui donnais, moi, comme je pouvais, tout à la bonne franquette, comme on dit chez nous. Ces grandes dames faisaient leur ménage, parce qu'elles ne pouvaient payer des serviteurs ; je les vois encore rangeant, balayant, ne négligeant rien ; elles mettaient des gants pour conserver la beauté de leurs mains, et elles gardaient dans toute leur personne ce je ne sais quoi qui distingue les dames de nous autres, même quand elles font nos gros ouvrages. Les demoiselles inventaient mille moyens pour gagner de l'argent, puisqu'elles n'en avaient plus ; l'une faisait des confitures, l'autre de l'eau de fleur d'oranger, celle-ci donnait des leçons de français, celle-là des leçons de clavecin ; la plus jeune faisait des pelotes, des pantoufles, des porte-montre : toutes prenaient bravement leur parti, parce que la jeunesse, voyez-vous, c'est toujours le beau temps de la vie et qu'entre deux soucis on trouve le moyen de rire. Notre enfant élevée seule, n'avait pas cette gaieté qui embellit tout au dedans et au dehors ; hélas ! elle ne l'a jamais eue.

La chère maman devenait de plus en plus souffrante, elle avait de ces désirs passagers qu'ont les malades ; elle voulait un fruit, un gâteau, que sais-je ? des riens que nous ne pouvions pas toujours lui donner. Une fois, elle eut envie de manger des fraises, mais il n'y en avait que pour les riches ; il fallut l'en priver. Oh ! quel malheur ! elle était si à plaindre, maigre et pâle à faire pitié, ne pensant qu'à son mari et à la révolution, même en regardant sa fille. La petite Athénaïs eut un chagrin très vif de ne pouvoir acheter pour sa maman un beau panier de fraises. Écoutez bien, Blanche vous allez voir ce qu'elle fit, oh ! c'est bien beau, allez !

La nuit qui suivit ce jour si triste, je trouvai Athénaïs assise sur son petit lit fait d'un seul matelas ; elle avait décousu ce matelas pour en tirer un gros paquet de laine, puis avait fabriqué avec de vieux chiffons une demi-douzaine de pelotes qui étaient toutes plus laides et plus mal faites les unes que les autres, mais qui avaient une grande valeur à cause de la bonne intention de l'ouvrière. Figurez-vous une enfant de dix ans qui ne possède que les chiffons de sa poupée et le matelas sur lequel elle va dormir, une enfant de dix ans qui travaille en cachette la nuit pour sa mère !

– Comment ? ces pelotes étaient pour bonne-maman ?

– Oui, ma fille, la jolie petite ouvrière espérait les vendre dès le lendemain et acheter des fraises pour sa maman. Elle avait vu la fille d'un émigré faire des pelotes en soie brodée de perles et les placer d'une manière assez avantageuse ; elle voulait essayer à son tour, et ne doutait pas de la réussite, pauvre innocente ; mais comme elle était encore très jeune et très inhabile, elle s'était piqué profondément le doigt et avait taché de sang le dessus d'une de ses pelotes, c'est pourquoi il avait fallu recommencer. C'est le morceau d'étoffe marqué du sang de votre mère enfant, que j'ai gardé toute ma vie, et qui fait partie de ce trésor que personne ne voit. »

Ici, la vieille Nanette, tout émue de ses tendres souvenirs, mit sur les genoux de Blanche cette chère partie de son trésor, et dit avec gravité : « À dix ans, voilà quelle était la sensibilité, quel était le dévouement de celle dont vous êtes la fille ; elle ne vous en demande pas autant, et le peu qu'elle exige, vous ne le lui donnez pas. »

L'enfant baissa les yeux, elle n'osait regarder la tache de sang qui parlait de sa mère, de sa délicatesse et de sa patience dans un âge si peu avancé ; elle était troublée, une larme tomba de ses yeux, et la nourrice, sans paraître remarquer cette larme, dit : Je n'ai pas encore fini mon histoire.

– Oh ! parle encore, nourrice, parle, parle toujours.

– Eh bien, je continue : Quand ces pelotes furent achevées, tant bien que mal, Athénaïs me demanda de la conduire *chez les Français*, comme nous disions, et elle pria mademoiselle Émilie, l'une des cinq sœurs, de vouloir bien vendre ces pelotes de chiffons avec les jolis ouvrages en perles et en soie que faisait cette jeune personne. Celle-ci ne put s'empêcher de sourire en voyant le travail de l'enfant ; mais ayant su par moi quel était le but de ce travail, et avec quelles difficultés il avait été entrepris, elle fut ravie

L'histoire de maman.

d'admiration, et courut trouver son grand-père pour lui raconter cette histoire. C'était un vieux marquis très respectable, conservant dans le malheur cette galanterie française qui distinguait les vieux messieurs d'autrefois. Il répondit à sa fille par un profond soupir, et, sortant de chez lui à l'instant même, il rapporta un quart d'heure après un beau panier de fraises qu'il donna à Athénaïs pour qu'elle eût le plaisir de l'offrir à sa mère. À ces fraises se mêlaient quelques feuilles, vous les voyez, il n'y faut pas toucher, car elles tomberaient en poussière. Et voilà comment votre bonne-maman bien malade eut son panier de fraises ; sa petite fille avait donné pour cela un peu de sommeil, un peu de sang, et de la laine de son unique matelas ; le vieux marquis y avait certainement ajouté une privation, car, dans cette maison d'émigrés, les ressources étaient bien médiocres et les besoins bien nombreux.

– Oh ! nourrice, que l'histoire de ces fraises me plaît ! Je sens que je deviens meilleure, parle encore, parle toujours.

– Notre enfant grandissait, je lui avais appris à lire, un peu seulement, parce que je ne savais pas moi-même beaucoup, mais elle s'était perfectionnée avec les petites filles du marquis ; elle savait par cœur tous ses Évangiles des dimanches, son catéchisme et son histoire sainte. Elle cousait bien, et m'aidait à faire le ménage pour me laisser le temps de tricoter, car vous savez que le tricot a toujours été ma manie.

Notre chère malade ne sentit pas venir sa fin, et quoique son esprit fût un peu troublé, elle eut un éclair de joie en voyant son Athénaïs faire sa première communion. Dès que ce grand acte fut accompli, notre fille devint une petite femme, et songea sérieusement à gagner un peu d'argent par ses faibles moyens, mais à onze ans et demi elle apprit d'une de mes bonnes amies italiennes à blanchir et empeser les collerettes et les bouffants de tulle que l'on portait à cette époque ; elle repassait tout cela divinement, car elle était très adroite ; mon amie, l'Italienne, lui fournissait de ouvrage, et moi, j'allais le reporter. Cela se faisait à petit bruit, comme il convient en ce cas, et le peu de personnes qui savaient notre secret disaient avec respect, quand elles voyaient passer Athénaïs : – C'est la petite Française qui travaille pour sa maman malade. – Chaque semaine, nous avions de quoi pourvoir au nécessaire, et même on achetait souvent du superflu pour la chère dame. Nous ne pouvions pas la rendre heureuse, mais du moins nous adoucissions son triste sort, et voyez-vous, ma minette, c'est très consolant de se dire : Je fais tout ce que je peux, et maman est moins malheureuse qu'elle ne le serait sans moi. Enfin, ma respectable maîtresse devait retrouver là-haut tout ce qui lui manquait ; elle est partie bien doucement, sans souffrir de quitter son enfant, parce que la Providence avait jeté sur son cœur comme un voile qui l'empêchait de bien voir les choses de ce monde.

Le croiriez-vous, Athénaïs n'avait qu'une pensée ; elle craignait de n'avoir pas fait assez pour sa maman ; elle se reprochait amèrement ses moindres négligences, et il faut que vous le sachiez, ma mignonne, c'est toujours ainsi : quand on a perdu ceux qu'on aime, on voit qu'on a manqué en bien des occasions, on pleure, on voudrait réparer ses fautes, mais le temps des réparations n'existe plus. Ici ce n'était qu'un excès de délicatesse, car l'enfant avait donné tous ses baisers, toutes ses caresses ; elle avait sacrifié mille fois ses petits plaisirs, elle avait toujours préféré sa mère à elle-même. Oh ! je vous le dis, c'est aimer véritablement, et il n'y en a pas beaucoup parmi les enfants, et même parmi les grandes personnes, qui aiment de cette manière.

– C'est vrai, dit Blanche humblement, moi je ne suis pas du tout comme était maman ; dès qu'une chose me gêne, je n'en suis plus. Mais je veux devenir bonne, très bonne. Parle encore, nourrice, parle, parle toujours.

– Voilà donc qu'après la mort de madame la comtesse nous étions à nous deux toutes seules dans notre petit appartement. Tout se faisait aux heures que la chère dame avait réglées autrefois. Nous voulions que tout fût ainsi par respect pour sa mémoire.

Le matin nous allions à l'église, car elle était pieuse comme, un ange, votre petite maman ; en rentrant, je faisais mon ménage, et elle préparait le café avec ses mains mignonnes et élégantes. Nous nous mettions à l'ouvrage après le déjeuner ; elle se reposait de temps en temps par de belles lectures, ayant la complaisance de lire tout haut les passages qui étaient à ma portée, car les demoiselles de votre condition comprennent à douze ans des choses que nous ne comprenons jamais, nous autres : c'est dans le sang, apparemment.

À quatre heures, je servais mon petit dîner, ayant soin de mettre

L'histoire de maman.

mon couvert comme en cérémonie, parce qu'une demoiselle comme il faut ne doit pas manger sur un bout de table et n'importe comment ; il faut savoir se tenir, ça vaut mieux pour toutes sortes de raisons. Mon Athénaïs, je l'aimais comme ma fille, mais dame, ce n'était pas Jacqueline, je ne l'ai jamais oublié. Et quand elle voulait me faire dîner en même temps qu'elle, à son côté, je lui disais : – Non, mademoiselle, vous travaillez, mais c'est égal, ça ne change rien à ce que le bon Dieu a fait il y a douze ans ; je suis là pour vous servir. – Et quand mes paroles lui causaient un peu de peine, j'ajoutais en la tutoyant comme autrefois : Quand tu auras envie de dormir, tu viendras me trouver, je te prendrai sur mes genoux, et je te bercerai, va, mon chou. – Ce n'était pas lui manquer de respect, c'est une affaire de nourrice. Ah ! que je l'aime ! Mon Dieu, mon Dieu, que je l'aime donc !

– Et la journée, Nounou, comment finissait-elle ?

– Ah ! c'est vrai. J'oublie toujours que je raconte une histoire. Eh bien, quand ma petite vaisselle était lavée, nous partions ; je la menais passer la soirée avec des personnes de son rang. C'était presque toujours chez le vieux marquis aux fraises ; ce n'était pas son nom, bien entendu, mais je l'appelais comme ça dans mon cœur, et comme j'ai un peu perdu la mémoire, c'est toujours ce nom-là qui me revient plutôt que l'autre : le cœur ne vieillit pas.

– Et toi, Nanette, que faisais-tu le soir ?

– J'allais chez mon amie l'Italienne, ou bien faire un tour de promenade, ou bien encore, et c'était le plus souvent, j'allais chez le bon Dieu. On est bien là, en Italie surtout. Il y a des églises magnifiques, des prières, des chants, des fleurs, des lumières ; c'est bien doux de se dire au pied d'un autel : Ici je ne suis plus étrangère, je suis comme les autres la fille du bon maître.

Pour en revenir à nos soirées, c'est pendant ces heures passées en si bonne compagnie que mon Athénaïs apprenait mille choses que je ne savais pas, moi ; on causait, on lisait ; le chef de famille parlait du vieux temps, et formait l'esprit de la jeunesse ; il s'y entendait. Il y avait aussi dans cet intérieur une dame de fort bel air, qui, dans sa pauvreté de circonstance, avait gardé soigneusement toutes les belles manières de France et parlait comme un livre. C'était la sœur de la maman. Elle brodait comme les anges, et peignait les fleurs comme les fées. Cette belle dame avait pris votre mère en grande affection, ce qui fait l'éloge de toutes les deux ; et elle mettait son plaisir à lui enseigner tout ce qu'elle savait. Un jour, son élève peignit pour la première fois une tulipe qui lui coûta bien du temps et bien de la peine, et, à cause de ce temps et de cette peine, elle voulut l'offrir, cette tulipe, à la nourrice dont c'était la fête. Pauvre cher amour ! non, jamais je n'oublierai cette attention. Sa mère n'était plus là, c'était moi qui remplaçais pour ainsi dire toute sa famille ; je fus touchée jusqu'aux larmes, et quoiqu'elle prétendît que sa première tulipe était très mal faite, je la trouvai et je la trouve encore admirable ; aussi je la découpai pour l'enfermer dans mon trésor : vous la voyez, ma chère Blanche. Il y a dans votre grand salon des touffes de roses, du lilas, du jasmin, tout cela est peint par votre mère qui, sans exagérer, fait presque aussi bien que le bon Dieu ; tout le monde admire ces fleurs dans leurs beaux cadres dorés, mais la première tulipe faite à douze ans pour la Sainte-Anne, et apportée si gentiment à la nourrice, personne ne la voit, c'est pour moi toute seule. Oh ! que je l'aime, cette chère maman, comme tout ce qui est sorti de son cœur, même dans l'enfance, est joli et délicat ! Assurément, je ne faisais que mon devoir, eh bien, elle en était reconnaissante, elle voulait me rendre la vie douce, et elle y parvenait ; car, en vérité, à part le pays qu'on regrette toujours, j'étais heureuse en émigration entre mon ouvrage et mon *aïs*, c'était son nom d'amitié, car il faut toujours que la nourrice trouve moyen d'estropier les noms.

Cependant, le temps courait ; beaucoup de Français étaient déjà rentrés dans la patrie, on se battait encore ; mais dans l'intérieur du pays, on était tranquille, et après avoir fait tant de mal, on reprenait tout doucement l'habitude de faire du bien ; les églises étaient enfin rouvertes, c'était comme une convalescence après une longue maladie. Et je me disais : comment donc faire pour savoir quel sort attend mademoiselle ? Rentrera-t-elle dans les biens de sa famille ? Comment retrouver, après tant d'années, quelques parents éloignés qui lui restent ?

Sachant à peine lire et écrire, et ne connaissant pas les affaires en dehors de mon pot-au-feu, j'étais bien embarrassée ; ce fut encore le vieux marquis aux fraises qui vint à mon secours. Il écrivit lettre sur lettre à Pierre et à Paul, et parvint à savoir que ce château, où

L'histoire de maman.

nous vivons aujourd'hui était tombé entre bonnes mains, que les acquéreurs n'étaient point du mauvais monde comme la plupart des acquéreurs de biens nationaux, mais au contraire des gens très honorables, qui n'avaient profité de la circonstance que dans l'intention de rendre un jour aux propriétaires cette belle habitation, à la seule condition de rentrer dans leurs frais. Comment exprimer ma joie ? J'en aurais dansé la gavotte !

– Qu'est-ce que c'est donc que la gavotte ?

– C'est une danse d'autrefois, bien autrement jolie que celles d'aujourd'hui. Enfin, voilà le bon marquis au moment de rentrer en France avec toute sa famille ; il nous propose de nous joindre à lui pour le voyage, et nous acceptons avec grand plaisir, comme vous pouvez le croire. Nous avions si bien travaillé et si bien économisé à nous deux, que la somme nécessaire au voyage se trouvait toute faite et enfermée dans une petite bourse que je vois encore. Tout compté, tout payé, au moment où votre mère a pu rentrer en possession de quelques-uns de ses biens, il nous est resté de notre long travail un petit écu. Ce petit écu, c'est un enfantillage, je ne l'ai pas dépensé, je l'ai laissé dans la bourse du voyage, et il y restera tel que vous le voyez jusqu'à ce que mon trésor passe à mon héritière.

– Qui donc sera ton héritière ? dit Blanche naïvement. Tu n'as pas d'autre enfant que moi.

– Précisément ce sera vous, ma chère fille, vous garderez ce trésor comme je le garde moi-même ; écoutez bien la fin de mon histoire.

– Oui, oui, j'écoute.

– Nous voilà revenues dans notre pays bien contentes, car on est encore mieux là que partout. Ma chère Athénaïs était grande, élancée, jolie ; elle n'avait plus rien de l'enfance, si ce n'est la simplicité ; je la conduisis tout droit chez une vieille cousine du côté de son père ; cette vieille cousine, je l'avais retrouvée par les soins du marquis, c'est lui qui m'aidait en toute occasion. Elle nous reçut comme deux embarras dont on se serait bien passé. Quand je vis cette froideur je me mis dans une grande colère, mais en dedans, et je résolus de ne pas laisser mon trésor, mon bijou, sous la dépendance d'une personne qui ne paraissait pas l'aimer. Je m'appuyais toujours sur la protection du vieux marquis, dont les soins et les bontés ne peuvent se raconter. Le cher monsieur, il a mieux réussi pour nous que pour lui, car sa famille est restée dans la plus humble médiocrité, tandis que nous, nous sommes revenues sur l'eau, comme on dit.

– Comment cela s'est-il donc fait ?

– Comment ? ah ! c'est la fin de mon histoire. Eh bien, ma chérie, c'est encore à la sagesse et à tous les charmes de votre maman que nous devons le joli arrangement qui s'est fait.

Dans les entretiens du vieux marquis avec les nouveaux maîtres si honorables de ce château, il fut naturellement question de mon Athénaïs, de sa raison bien au-dessus de son âge, de son enfance laborieuse et dévouée ; c'était assez pour la faire estimer comme elle le méritait. Pendant ce temps-là, nous habitions un petit logement bien mesquin dans un gros bourg à deux lieues d'ici, on était en pourparlers au sujet des biens de mademoiselle que la Révolution avait jugé à propos d'appeler *biens nationaux*. Voilà que je tombe malade, mais très malade, malade à mourir, excepté que je n'en suis pas morte ; le vieux marquis parle de mon état presque désespéré à la famille Tenassy ; il dit probablement quelques mots d'amitié sur la pauvre nourrice ; bref, ces dames viennent me voir, accompagnées du fils de la maison, qui était un beau jeune homme de vingt ans à peine. Déjà, comme il avait très bon cœur les récits du vieillard l'avaient intéressé à ma chère enfant ; mais quand il vit au pied de mon lit cette jeune personne qui n'avait pas quinze ans, et qui, par sa modestie et son joli maintien, ravissait tous les yeux, il la regarda longtemps sans rien dire, comme si elle eût été un ange envoyé de Dieu. Il revint une fois, deux fois, trois fois ; on me soigna si bien que la maladie fut obligée de s'en aller. Comme j'étais en convalescence, il arriva un jour que ces dames emmenèrent promener ma petite garde-malade qui était devenue toute pâle à cause de moi ; le bon jeune homme voulut rester près de mon lit pour me tenir compagnie, et, voyez ce que c'est que la nourrice, lui qui n'en avait encore parlé à personne, il osa me dire que si ses parents et la jeune demoiselle y consentaient, il choisirait pour sa compagne Athénaïs. La nourrice, voyez-vous, c'était l'ombre de l'enfant, l'une était tout pour l'autre, on les voyait toujours ensemble, et, à cause de cela, on les aimait toutes les deux.

Mais, il faut vous l'avouer, j'étais fière, je n'aurais pas trouvé,

L'histoire de maman.

en faisant le tour du monde, un mari qui me semblât digne de nous. Cependant je fus touchée aux larmes de ce que me dit ce jeune monsieur, et, toute réflexion faite, je reconnus que c'était la Providence qui tenait cette affaire là dans sa main, et je dis, tout en faisant ma prière : – Comme il vous plaira, Seigneur.

Le lendemain je vis le vieux marquis ; il me dit que la famille lui avait laissé voir les intentions les plus bienveillantes au sujet de mademoiselle, et qu'il ne doutait pas que le projet d'union n'arrivât à une heureuse réussite. Alors j'en parlai à ma chère Athénaïs, si sérieuse et si raisonnable à cause de ses malheurs ; elle m'écouta aussi gravement que si elle eût été dans sa vingtième année ; mais quel fut mon attendrissement lorsque cette bonne demoiselle me dit d'un ton bien décidé :

– Nourrice, je suis très reconnaissante envers cette famille, je trouve ce jeune monsieur parfaitement bien ; mais, quand même je devrais renoncer pour toujours aux biens de mes parents, je ne me marierai jamais s'il ne nous prend toutes deux ensemble, l'une pour sa femme, l'autre pour son amie. Et cela s'est fait tout comme elle l'avait dit, et nous sommes revenues habiter ce vieux château que monsieur a fait restaurer et embellir, mais où le ciel ne l'a pas laissé assez longtemps pour le bonheur de tous. Allons, voilà les larmes qui reviennent, c'est plus fort que moi, je ne puis pas penser à lui sans avoir envie de pleurer. Et vous, Blanche, qu'avez-vous ?

– J'ai de la peine.

– Vous avez de la peine ? et pourquoi ?

– Parce que je pense, chère nourrice, qu'une maman comme la mienne devrait avoir pour récompense une autre fille que moi.

– Il ne tient qu'à vous de la lui donner. Transformez-vous, changez peu à peu cette vilaine petite Blanche égoïste et paresseuse en une belle petite Blanche dévouée et ardente au travail.

– Jamais je ne pourrai, Nounou. Il serait plus aisé de changer l'enfant tout de suite.

– Mais songez donc, ma chère amie, que toutes les perfections réunies ne vaudraient pas pour votre maman ce petit point qui ne se voit pas dans l'univers, et qu'on appelle Blanche Tenassy ; c'est vous qu'il lui faut pour être heureuse, vous la dernière de ses sept enfants, car toute son existence a été douloureuse. Mariée au sortir du jeune âge, elle a attendu longtemps l'honneur et la joie d'être mère de famille, puis elle a perdu l'un après l'autre tous ses enfants, et enfin son cher époux qui était bien le plus honnête homme de la terre ; vous êtes venue presque en même temps, vous, ma petite, comme un trésor caché dans la main de Dieu, et qu'il n'a laissé tomber qu'après l'orage, afin de mieux consoler... et vous ne consolez pas !...

– Ah ! nourrice, ne dis donc pas cela, je veux changer ; je veux devenir digne d'être la fille de maman ; je ne la connaissais pas ; que tu as bien fait de me raconter son histoire ! Est-ce qu'elle est déjà finie ?

– Oui, elle est finie, c'est à vous d'y ajouter les joies qui y ont manqué, d'y mettre tout ce qui peut sortir de votre bon petit cœur. Il y a dans ce cœur toutes sortes de bonnes choses, c'est votre mauvaise tête, ce sont vos caprices qui semblent étouffer le germe des vertus solides ; mais je le vois, vous finirez par ressembler à votre maman. Qu'elle était donc charmante le jour de ses noces ! Elle avait juste ses quinze ans, quoiqu'elle en parût dix-huit, elle n'était pas gaie parce qu'elle pensait à sa mère qui n'était pas là pour la bénir, mais elle paraissait calme et heureuse au fond du cœur. Le soir, elle me dit de monter à la chambre de M$^{me}$ la comtesse qui devenait la sienne, et là, elle me fit cadeau de son bouquet de mariée. Oh ! ce bouquet ! On s'étonne peut-être de ce qu'il n'est pas dans un cadre, bien en vue dans ma chambre ; mais non, plus je l'aimais, cette fille chérie, plus je cachais ce qui établissait entre nous des rapports de mère et d'enfant. Je mis dans mon trésor ces fleurs symboliques, et moi seule je les ai regardées depuis près de quarante ans. Vous ne perdrez jamais un seul de ces boutons jaunis, vous les laisserez dans la boîte comme ils sont là, il ne faut pas changer de place ce qui dans mon cœur n'a jamais remué. »

La vieille Nanette se tut, l'enfant ne bougea point, le jour baissait, un recueillement profond et presque religieux remplissait l'âme de Blanche ; elle prit entre ses bras le beau trésor dont elle devait hériter, l'admira longtemps et promit d'une volonté sincère de devenir meilleure.

L'histoire de maman.

# VI

*L'agneau vendu au boucher.*

Dans les grandes peines, il y a des détails qui échappent à l'œil de l'étranger, détails qu'on ose à peine s'avouer à soi-même, mais qui augmentent réellement l'amertume du chagrin. Nous avons vu le bon cœur de Madeleine rempli de tristesse à cause de la maladie de sa mère et des malheurs qui en étaient les conséquences inévitables. Eh bien, dans ce cœur dévoué à la famille, il y avait un tout petit coin occupé par le jeune agneau que Madeleine nourrissait de sa main et qui la suivait, moitié parce qu'il avait faim, moitié parce qu'il l'aimait. C'était son camarade quand elle allait sur la route faire de l'herbe pour les lapins, et, quand elle ne lui permettait pas de la suivre, il l'attendait sur le pas de la porte, et, au retour, lui disait bonjour le premier.

La maman avait sagement répété bien des fois que les pauvres gens ne doivent pas s'attacher par trop à leurs animaux, puisque ceux-ci ne sont jamais pour eux qu'un produit, une ressource ; elle recommandait à Madeleine d'être bonne pour l'agneau, de ne point le rudoyer comme elle le voyait faire aux gens durs et sans cœur, mais de ne pas non plus oublier qu'il était destiné à la boucherie. Madeleine avait bonne mémoire, et pourtant elle semblait ne pouvoir se rappeler cette terrible fin. Loulou était si gentil, si doux, si caressant. Enfin, pour tout dire en deux mots, Loulou aimait Madeleine, et Madeleine aimait Loulou. Quand on s'aime, on ne devrait jamais se quitter. Dans ce cas, c'était plus dur encore ; il fallait que la jeune fille allât proposer l'agneau au boucher, et lui demander, hélas ! s'il le trouvait assez beau, assez gras, assez charmant pour le tuer ! Ah ! plaignez Loulou ! plaignez Madeleine !

La misère avançait à grands pas : trois ou quatre jours de vives souffrances avaient suffi pour épuiser les petites provisions du ménage. Le boulanger avait donné du pain à crédit, mais en disant de ces demi-mots qui font tant regretter de ne pas payer comptant. La fièvre de Brigitte était revenue et paraissait s'établir, la malade s'attristait sans perdre sa sérénité, car c'était une femme de grand courage que la mère Brigitte ; elle n'avait qu'un défaut, bien pardonnable assurément, elle était un peu trop fière, et, quoique d'une condition fort humble, elle fuyait les regards des riches, et ne voulait pas convenir devant eux de son malheur et de son dénuement.

On pense bien que M^me Tenassy, à qui Nanette avait répété l'histoire du vieux mendiant, n'avait pas oublié d'envoyer sa fidèle nourrice à la chaumière en lui recommandant de s'informer de ce qui manquait dans cet intérieur. Nanette s'était acquittée avec empressement de la commission, mais à son grand étonnement, la malade avait adouci le tableau au lieu de le charger, comme font ordinairement les malheureux ; elle avait accepté avec reconnaissance de légers adoucissements, un peu de bouillon, un petit pot de crème, de ces riens qui font plaisir, mais ne soulagent point ou du moins ne changent pas la position. Quant à la plaie saignante, au manque absolu d'argent, elle n'avait pas voulu en dire un mot à la vieille Nanette, bien que celle-ci lui parlât très poliment et avec une grande discrétion, comme cela doit être vis-à-vis des personnes peu fortunées que l'on visite. Dans la conversation, Brigitte avait parlé d'une ressource qu'elle avait entre les mains, et qu'elle allait employer ; la bonne femme n'osa pas insister et dit à M^me Tenassy qu'elle n'avait pas cru devoir lui offrir de l'argent, craignant de la blesser, puisqu'elle avait entre les mains une ressource.

Cette ressource, on l'a sans doute deviné, c'était Loulou, le petit ami de Madeleine ; il était bien tranquille, lui, parce qu'il n'entendait pas le français, mais la jeune villageoise fut au moment de pleurer quand sa maman lui dit en regardant l'agneau qui bondissait devant la porte : « Ma fille, j'en ai pour longtemps avant de pouvoir travailler, et ma faiblesse exige des soins ; il faut donc prendre tout de suite ton parti, tu sais que c'est une chose pénible qui devait arriver tôt ou tard, tu comprends ?...

– Oui, maman, dit tout bas Madeleine, et ce oui semblait étouffé dans son cœur par les gentillesses de Loulou. Néanmoins, comme elle aimait profondément sa mère, elle fit un grand effort sur elle-même, et ne laissa paraître que la moitié de sa tristesse.

– Eh bien, reprit la malade, quand iras-tu chez le boucher ?

– Quand tu voudras, maman.

L'agneau vendu au boucher.

– Le plus tôt sera le mieux, mon enfant. Il a vendu beaucoup de viande à l'occasion de la fête du village, il doit être à court, c'est le moment ; va, c'est un sacrifice à faire, mais tu sais bien que nous ne l'élevions que pour le vendre.

– Oui, maman, tu me dis souvent, et tu as bien raison, que les pauvres gens comme nous ne possèdent rien qui n'ait son utilité. Eh bien, quoique cela fasse toujours un peu de peine, je vais t'obéir. »

Elle se leva et sortit. Le temps était magnifique, le soleil radieux comme s'il éclairait un beau jour, et c'était le dernier jour de l'agneau. Pauvre animal ! Sa petite maîtresse l'appela du même ton qu'à l'ordinaire, elle n'avait qu'une manière ; d'ailleurs, pourquoi changer ? Ne fallait-il pas rendre Loulou heureux jusqu'à la dernière heure de sa pauvre petite vie qu'on ne lui laissait pas finir ? Il vint, croyant qu'on l'appelait pour le caresser, ou pour lui faire la surprise d'une goutte de lait en plus de la ration ordinaire ; il vint d'un air abandonné et confiant qui faisait pitié ; la jeune fille lui dit de le suivre, et il la suivit.

Tant qu'il fallut longer la plaine, Madeleine crut qu'elle avait du sang-froid, mais quand elle aperçut de loin la boucherie, les sanglots l'étouffèrent, elle s'assit au bord d'un ruisseau dans un endroit où l'herbe était épaisse et où bien souvent elle s'était amusée à faire des couronnes de fleurs pour André. Ces fleurs mêmes lui parurent tristes comme si les bluets et les pâquerettes aimaient Loulou. Quand elle fut bien sûre que sa maman ne pouvait pas l'entendre, elle se mit à pleurer tout haut. L'agneau tout étonné la regardait comme pour lui demander la cause de ses pleurs.

« Cher petit, lui dit-elle, que veux-tu ? c'est nécessaire, il le faut ; c'est pour maman. Si c'était pour moi tout seule et si j'étais ma maîtresse, je te garderais toujours et j'empêcherais tout le monde de te faire du mal, mais nous n'avons plus rien à la maison, et maman va mourir si tu ne meurs pas, toi. »

En même temps, la pauvre petite couvrait de larmes innocentes la tranquille victime qui s'était couchée à ses pieds, n'ayant peur de rien et se croyant à l'abri des méchants, parce que Madeleine était là.

Quelle ne fut pas la surprise de la paysanne lorsque, relevant la tête, elle vit la demoiselle du château (c'était le nom de Blanche au village), en compagnie de Nanette, toutes deux la regardant avec une tendre compassion ?

« Qu'avez-vous, dit Blanche ?

– Je n'ai rien, mademoiselle, répondit Madeleine en essuyant ses yeux bien vite ; ça va passer, je m'en vais, je suis en retard, maman m'a donné une commission.

– Où allez-vous, ma petite, dit Nanette d'un ton décidé, est-ce chez le boucher pour vendre cet agneau-là ? »

En entendant dire aussi nettement ce qu'elle osait à peine s'avouer, l'enfant perdit ce grand courage qu'elle croyait avoir, et pleura de tout son cœur.

Blanche toucha l'agneau d'une main affectueuse et dit :

« On ne le tuera pas, c'est impossible, vous avez trop de chagrin.

– Si, si, il faut qu'on le tue, répondit Madeleine avec un effort déchirant, on le tuera.

– Vous ne l'aimez donc pas ? reprit la jeune fille, qui ne savait point ce dont on est capable quand on veut se surmonter soi-même.

– Si, je l'aime ! dit Madeleine en élevant la voix, mais j'aime mieux maman. » Et elle entraîna doucement l'agneau en lui passant son mouchoir autour du cou sans le serrer, de peur de lui causer une douleur inutile, pauvre petit !

Blanche resta immobile d'étonnement.

« Qu'est-ce que cela, demanda-t-elle à Nanette, peux-tu me l'expliquer ?

– Je le comprends parfaitement, répondit la nourrice, à cause de la conversation que j'ai eue avant-hier avec la mère Brigitte : cet agneau, c'est la ressource dont elle me parlait, et qu'elle emploie plutôt que de demander l'aumône, la brave femme, elle a raison ; mais la petite a le cœur tendre ; son agneau, c'est son joujou, son plaisir, son bonheur ; c'est égal, elle va l'offrir au bouclier, et encore elle se cache pour pleurer.

Voilà le devoir accompli, toujours le devoir accompli. »

« Oh ! chère Nounou, que cela me fait de la peine ! Comment, il y a des personnes si malheureuses que cela ? Ah ! si maman n'était pas fâchée, j'irais la supplier d'empêcher le boucher de tuer

L'agneau vendu au boucher.

cet agneau, puisque tu dis que c'est le joujou, le plaisir, le bonheur de cette chère petite qui a tant de courage.

– Mon enfant, votre maman ne peut pas empêcher le boucher de tuer l'agneau s'il rachète : ce qu'il faut à Brigitte, c'est de l'argent.

– Si j'en avais, s'écria Blanche, je le lui donnerais, mais je n'ai que cinq francs !

– Pourquoi n'avez-vous que cinq francs ?

– Tu le sais bien, c'est parce que je n'ai pas voulu travailler, et que pour me punir, maman ne m'a pas donné ma pension de quinze francs par mois ; ces cinq francs sont mes économies du mois dernier. Oh ! si ma chère maman voulait me croire, si elle voulait seulement essayer de reprendre mon éducation ! mais tu vois, je le lui ai demandé, et elle ne m'a pas même répondu.

– Pourquoi, mon enfant ? parce qu'elle se rappelle les belles promesses que vous lui avez faites cent fois et que vous n'avez pas tenues. On finit par perdre confiance, voyez-vous. Votre maman ne sait pas que je vous ai raconté son histoire et que vous avez déjà commencé à être bonne.

– Chère Nounou, si tu voulais lui parler pour moi, toi qu'elle a tant aimée depuis qu'elle est au monde. Tu commencerais par lui rappeler son enfance, sa mère, l'Italie, et puis tu lui demanderais en joignant les mains de me reprendre pour sa petite fille, de m'instruire, de me gronder même, car ce grand silence qu'elle garde depuis trois jours me fait un mal affreux !

– Écoutez, Blanche, je veux bien parler de vous à votre chère maman, mais c'est parce que j'ai la ferme espérance que vous ne la rendrez plus malheureuse et que vous imiterez les bonnes filles, quels que soient leur rang et leur costume. Vous voyez que, dans le village même, vous avez un bel exemple à suivre : Madeleine aime sa mère comme elle doit l'aimer, c'est-à-dire avec respect et dévouement.

– Oui, ma bonne Nanette, je suivrai son exemple, je ferai des efforts, de très grands efforts, crois-moi. Tiens, demande à maman que, pour m'encourager, elle me laisse rendre à Madeleine son agneau.

– C'est-à-dire que vous auriez la jouissance de faire du bien sans l'avoir achetée par aucun sacrifice. Songez donc que la charité n'est une grande vertu que parce qu'elle occasionne de grandes souffrances. Commencez par être bonne, et peut-être que Dieu se servira de vous comme il se sert de ses bons anges pour faire du bien.

– Oui, je serai bonne, très bonne, je travaillerai, je me surmonterai, mais tu parleras à maman ce soir ?

– Je lui parlerai ce soir.

– Et l'agneau ?... dis ? est-ce qu'on le tuera ?

– Soyez bonne, le bon Dieu vous bénira, et peut-être qu'on ne tuera pas l'agneau, qui sait ? »

## VII

### *La mère Nicaise.*

Avez-vous jamais vu une commère de village avec son air affairé, allant et venant vingt fois dans un jour, uniquement pour dire à gauche ce qui se passe à droite, en y ajoutant quelques nouveaux détails pour rendre le fait plus piquant ? La mère Nicaise était impayable avec son mouchoir à la tête, sa casaque brune et son jupon de toutes les couleurs. Elle ressemblait à la mouche du coche dont parle La Fontaine, qui croyait faire marcher un char embourbé, tandis que c'étaient réellement les chevaux et le voiturier qui faisaient tout l'ouvrage.

La mère Nicaise aimait par-dessus tout le bavardage. Devait-elle acheter pour quatre sous de fromage et pour un sou de poivre ? Bien loin de se procurer les deux ensemble, elle traversait deux fois le village, achetant d'abord le fromage et deux heures après le poivre ; arrêtant le garde champêtre pour lui offrir une prise de tabac et obtenir en échange une demi-confidence sur les événements de la commune. Le garde-champêtre acceptait toujours la prise, mais disait peu de chose, ce dont la mère Nicaise ne pouvait prendre son parti, elle qui aurait plutôt inventé trois événements que d'en taire la moitié d'un. D'ailleurs assez adroite, et disposée à rendre service, ne fût-ce que pour se donner du mouvement et éprouver des émotions nouvelles, elle était, à l'entendre, l'amie de tous et de chacun. À ce titre, elle savait jusqu'aux plus petits détails de l'existence des villages, et jetait même un coup d'œil fin sur le presbytère et sur le châteaux. Aussi, quand un individu ignorait une circonstance relative à un accident, à une maladie, à un baptême, ou à un mariage, on ne manquait jamais de lui dire : – Vous n'avez, donc pas vu la mère Nicaise ?

Cette bonne femme était la plus proche voisine de Brigitte, qui, tout en déplorant les inconvénients de ce voisinage, disait avec raison qu'il valait mieux l'avoir pour amie que pour ennemie. C'était sage, car si la mère Nicaise se fut jetée au feu pour ceux qu'elle aimait, elle y eût bien sûr jeté tous ensemble ceux qu'elle n'aimait pas, si l'occasion s'en fût présentée. La langue de la vieille emportait la pièce ; elle était extrêmement crédule, comme le sont en général les gens de la campagne, sans compter ceux de la ville qui leur ressemblent ; plus les aventures que l'on citait étaient incroyables, plus elle les croyait vite ; elle aimait à dire du mal des uns et des autres, non qu'elle fût précisément méchante, mais pour le plaisir de bavarder.

Un matin, en revenant de chez la brave femme qui lui vendait tous les jours deux sous de lait, un sou pour elle, et un sou pour son chat, elle aperçut la nourrice qui traversait le chemin vert :

« Bonjour, M$^{me}$ Nanette, voilà le temps qui se gâte, je crois que nous aurons de l'eau.

– Ça se pourrait bien, mère Nicaise.

– Eh ben, comment ça va, M$^{me}$ Nanette ?

– Tout doucement.

– Et votre demoiselle ? dites donc, savez-vous qu'elle grandit joliment !

– Mais oui, grâce à Dieu, c'est de son âge.

– Elle devient jolie comme était sa maman..., quelle dommage qu'elle soit méchante !

– Méchante ? qui est-ce qui a pu vous dire que notre petite était méchante ? elle est très bonne, au contraire.

– Voyez donc, M$^{me}$ Nanette, comme le monde n'est pas raisonnable : il y a une femme, qui est la cousine de la mère à mon neveu qui a épousé la petite à sa marraine, eh ben, elle a dit comme ça que si madame avait le fond du teint verdâtre, c'était rapport à sa demoiselle qui lui tournait le sang à force de la faire enrager du matin au soir, tant et si bien que la mère n'en veut plus, quoi ! »

La nourrice regarda la commère avec une fierté sans pareille : « Sachez, lui dit-elle, que ceux qui vous ont ainsi parlé ont des langues de vipères et ne méritent pas qu'on les écoute. Sans doute M^lle Blanche a des défauts, mais qui est-ce qui n'en a pas ? D'ailleurs elle s'en corrigera, elle a un cœur d'or, elle ne voudrait pas faire de mal à un poulet. Je vous dis, moi, et je m'y connais, qu'elle sera le portrait de sa maman.

– Bah ! elle a pourtant l'air ben rechigné.

– C'est la croissance. Les enfants sont des enfants, voyez-vous, il ne faut pas oublier ça. Laissez-lui faire sa première communion, elle aura plus de treize ans, elle comprendra mieux ce qu'elle fera et vous verrez !

– Allons moi, je veux ben.

– Oui, oui, vous pouvez répondre à toutes ces bavardes que notre demoiselle a bonne volonté, et que, même dans ce moment-ci, elle ne pense qu'à faire du bien ; hier elle a vu pleurer la petite Madeleine...

– La petite Madeleine ! ah ! elle n'est pas à la noce, ni sa maman non plus. Que voulez-vous ? Tant que ça marche, ça vivote, mais dame, quand ça se couche, bonsoir.

– Comment va la maman ?

– Pas bien, on dirait une morte, c'est si mal soigné !

– A-t-elle vu le médecin ?

– Non, mais je lui ai porté un fer à cheval que j'ai trouvé par hasard, c'est très bon ; vous le mettez dans votre paillasse, ça coupe la fièvre, ça guérit les maux d'entrailles, les cors, les rages de dents et bien d'autres choses.

– En êtes-vous sûre, mère Nicaise ?

– Très sûre. On guérit toujours, à moins qu'on ne meure auparavant ; dame ! que voulez-vous ? c'est un malheur.

– C'est égal, mère Nicaise, je vous avoue que si j'étais bien malade et que je pusse choisir entre un bon médecin et un bon fer à cheval, je prendrais le médecin.

La mère Nicaise.

– Pas moi. Pour en revenir à Madeleine, c'est une misère affreuse chez elle.

– Vraiment ? On ne s'en douterait pas.

– Dame ! il n'y a rien de plus fier que la mère Brigitte, surtout depuis qu'elle a perdu son homme ; elle se cache, mais j'en sais long. C'est une famille qui s'en va à l'hôpital ; la mère n'a plus de sang dans les veines, les enfants ne gagneront rien d'ici à quelques années ; il n'y a que Madeleine, mais par exemple, c'est une travailleuse, et de la bonne espèce, ça ne craint pas sa peine. Et une tête ! Elle a de la connaissance, beaucoup de connaissance, elle est adroite comme un singe. Hier elle me disait :–Ah ! mère Nicaise, qu'elle disait, je voudrais grandir tout à la fois en une nuit.

– Tu aurais de fameuses crampes, mon enfant, que je lui dis.

– C'est égal, qu'elle dit, si j'étais grande et si j'avais un peu d'argent, dit-elle, je commencerais un petit commerce, j'achèterais toutes sortes de choses ensemble, et je les revendrais en détail, gagnant sur chacune quelques sous pour ma peine.

– Elle disait ça, cette petite ! qui sait ? Si elle a de la disposition et du goût pour le commerce, il ne faudrait qu'un peu d'aide pour la faire réussir.

– Moi, je lui ai répondu : Va, mon enfant, quand on est dans un puits, on y reste. Tu ne t'en tireras jamais.

– C'est comme ça que vous l'encouragez, mère Nicaise ! Eh bien, moi, j'ai dans l'idée qu'on la verra prospérer, la brave enfant, et qu'elle gagnera son pain et celui de la famille.

– Laissez donc, M^{me} Nanette, les riches ont le cœur trop dur, ils seraient bien fâchés d'aider les pauvres gens.

– Dites plutôt, mère Nicaise, qu'on ne se connaît pas assez. Si l'on se rapprochait davantage, les uns par la confiance, les autres par la charité, il n'y aurait pas tant de maux incurables. D'autre part, si les jeunes filles de notre classe savaient demeurer simples dans leurs ajustements, et modérées dans leurs goûts, on ne les verrait pas dépenser leur gain en toilettes ; elles amasseraient une petite somme pour entrer en ménage, elles habilleraient leurs enfants proprement, mais sans colifichets, au lieu d'en faire des poupées, et tout irait mieux.

– Allons, M^{me} Nanette, il faut bien croire que vous avez raison, vous avez tant d'esprit, à force d'avoir vécu dans le grand monde. En attendant, ceux qui retireront Madeleine de la misère auront le bras long.

– Qui vivra verra. Adieu, mère Nicaise.

– Adieu, M^{me} Nanette, sauvons-nous, voilà l'orage, nous n'avons que le temps de rentrer. »

## VIII

### *L'histoire de la nourrice.*

Il y avait déjà quatre jours que la mère et la fille ne s'étaient parlé, si ce n'est pour les actes de la vie extérieure. Blanche avait le cœur bien malade et demandait avec un regard navrant qu'on voulût bien l'aimer comme autrefois. Sa chère maman, qui souffrait encore plus qu'elle, se laissa vaincre, et le soir de ce quatrième jour, au moment où le soleil se couchait, elle reçut Blanche sans froideur, demeura seule avec elle dans sa chambre, et lui dit doucement en la voyant pleurer :

« Ma fille, je veux avoir confiance en toi. »

Ce mot pénétra jusqu'au cœur de la suppliante ; elle tomba aux genoux de sa mère, lui baisa les mains, et la remercia avec l'effusion la plus vraie de la reconnaissance.

« Pour te prouver ma confiance, reprit gravement M^{me} Tenassy, je veux te conter une histoire, une belle histoire véritable, c'est celle d'une personne que tu connais, que tu aimes, que tu n'aimeras jamais assez, celle de ma respectable nourrice.

– L'histoire de Nounou !

– Oui. L'exemple est une grande chose : quand on se dit : Voilà ce qu'a pu faire telle personne, on ne manque jamais d'ajouter : Pourquoi donc ne pourrais-je pas l'imiter, au moins de très loin ? Depuis que tu es au monde, ma nourrice m'a seule remplacée près de toi. D'où vient que tu n'es pas encore bonne ? Peut-être y a-t-il en toi beaucoup d'ignorance. Tu ne sais pas apprécier les dons de Dieu, je veux donc mettre sous tes yeux le tableau d'une longue vie sans tache, d'une vie toute composée d'abnégation, de dévouement et d'amitié. Écoute bien, ma chère enfant. »

Blanche, émue du seul regard de sa mère, sentait son cœur se fendre à ses premières paroles ; cet acte d'intimité lui rendait sa place de fille de la maison. Elle posa une main sur les genoux de sa maman, et elle écouta.

« Il y avait autrefois à une lieue d'ici une jeune femme dont le mari, qui était couvreur, s'était tué en tombant du toit de notre maison ; mon père et ma mère avaient été fortement émus de ce malheur, et ne pouvant, hélas ! que secourir et consoler la veuve, ils le firent avec toute la bonté qui leur était naturelle. Cette veuve était robuste, courageuse, intéressante au plus haut degré par ses vertus modestes. Mère d'une fille au berceau, elle restait sans autre ressource que son aiguille. Mes parents lui donnèrent d'abord de l'ouvrage chez elle, mais voyant qu'elle y était malheureuse et comme abandonnée, parce qu'elle n'avait pas de famille et qu'elle était étrangère, ma mère eut la pensée de l'attacher à sa maison comme ouvrière, et de lui donner, outre son salaire, la nourriture et le logement. Cette bonne pensée venait de Dieu, l'avenir l'a bien prouvé.

Ma mère installa la veuve du couvreur dans ce petit pavillon que tu vois là-bas ; elle travaillait tout en nourrissant sa petite fille, car sa forte constitution n'avait pas été ébranlée du coup qui l'avait frappée. Tout allait aussi bien que possible lorsque je vins, moi, en ce monde par la bonté de Dieu. Mon père et ma mère crurent ne pouvoir rien faire de mieux que de me confier à la jeune nourrice qui sortit du pavillon, sevra sa fille, et reporta sur moi une bonne partie de cette tendresse qu'elle allait bientôt me donner tout entière, puisque Jacqueline n'a vécu que bien peu de temps.

Voilà la veuve du couvreur qui prend dans la maison le rang de nourrice ; c'est un rang élevé, ma chère petite, quand les sentiments sont délicats. Donner à l'enfant du maître son lait, son sommeil, ses caresses, le calmer d'un regard, le réjouir d'un mot, tout cela, c'est participer à la maternité. Ma mère le vit et n'en fut point émue de tristesse, comme il arrive souvent. Quelque chose de mystérieux semblait lui faire pressentir qu'à sa pauvre enfant il faudrait deux mères : une dans le présent, l'autre dans l'avenir.

Je ne parlerai pas longuement des douleurs cruelles qui ont accablé mes parents pendant mon enfance. En ce temps, ceux qui aimaient le mal le faisaient sans se cacher, et tuaient les hommes qui ne leur ressemblaient pas, c'est pourquoi ils ont tué mon père... »

Ici deux larmes tombèrent sur les joues pâles de M^me Tenassy, et tout aussitôt deux autres larmes sillonnèrent les joues roses de Blanche; la mère et l'enfant se regardèrent avec une expression admirable de sympathie ; les jours anciens et les jours nouveaux semblaient se mêler dans ce regard. La mère voulait à peine laisser voir sa douleur, tant l'enfant lui paraissait jeune pour souffrir ; Blanche au contraire cherchait à souffrir pour s'entendre plus complètement avec celle qu'elle aimait par-dessus tout, quoique sa légèreté habituelle et ses défauts de caractère pussent en faire quelquefois douter.

« Maman, dit-elle avec une tendresse charmante, je vous en prie, ne passez pas ce qui est triste, dites-moi bien tout.

– Non ! ma fille, je ne te dirai pas tout ; tu ne me comprendrais pas. À quoi servirait de te peindre le profond désespoir de ma mère ? je ne l'ai compris, moi, que le jour où Dieu m'a séparée de ton père.

– Et vous, maman, que faisiez-vous pendant que ma grand-mère était si malheureuse ?

– Moi ? je jouissais de mon entrée dans la vie. Je m'amusais avec ma nourrice qui, dans l'exil où son dévouement l'avait fait suivre ma mère, trouvait le moyen de paraître oublier la patrie, et concentrait tout son cœur en moi qui savais à peine aimer. Je dormais près d'elle, je jouais avec elle, elle chantait pour moi, et j'étais seule heureuse au milieu de nos désastres. Elle avait pourtant beaucoup de chagrin, la pauvre Nanette, sa petite fille n'existait plus, ce qui était un mal irréparable, et en outre, la chère nourrice se trouvait victime de notre situation précaire, car ma mère vivait des dernières ressources qu'elle avait sauvées en fuyant ; elle ne pouvait même plus payer Nanette ; celle-ci n'en était que plus dévouée. Dieu seul a vu et compris tout ce qu'il y a eu de délicat dans sa conduite.

Un temps vint où je commençai à remarquer et à ne plus oublier, où les impressions restèrent en moi comme ce que l'on grave sur la pierre y reste. À huit ans, naturellement sérieuse par l'effet de tant

L'histoire de la nourrice.

de circonstances douloureuses et frappantes, je passais des heures à regarder ma nourrice soigner ma mère, dont la santé ruinée et la tête affaiblie par le chagrin demandaient une vigilance continuelle. Cette mère angélique, tout en se souvenant, hélas ! des cruels événements qui avaient bouleversé son existence, ne conservait pas la mémoire des choses présentes, elle confondait la veille avec le lendemain, ne se rappelant que d'une manière confuse les mille riens qui dans la semaine même avaient occupé notre intérieur, et il résultait de ce désordre dans le cerveau un véritable accablement pour Nanette qui, sans avoir en mains le gouvernement, se voyait forcément chargée de toute responsabilité. Bien loin d'abuser de cette position exceptionnelle, comme l'aurait certainement fait une âme vulgaire, elle mettait, je m'en souviendrai toujours avec attendrissement, elle mettait tous ses soins à cacher aux yeux de ma mère les conséquences de son infirmité, elle ne contrariait en rien ses idées, entrait autant que possible dans ses vues, et calmait l'amertume de ses souvenirs par des entretiens paisibles, cherchant dans les images du passé ce qu'il y avait de plus doux, de plus aimable, afin de reposer son esprit troublé. Si ma bonne mère se trompait dans ses jugements par défaut de mémoire, ma nourrice me faisait bien comprendre la vérité, de peur de me fausser les idées, puis elle prenait un tour adroit vis-à-vis de ma mère pour qu'elle ignorât son injustice et qu'elle n'eût pas le chagrin de se sentir incapable.

La chère malade ne pouvait apprécier ce genre de dévouement, puisqu'elle ne se rendait pas compte de l'état où elle était ; au contraire, la souffrance avait fini par aigrir son humeur, et, bien involontairement, elle rendait malheureuse ma bonne nourrice, oubliant à chaque instant ce qui venait de se passer, et compliquant sans s'en douter le service de notre petit intérieur, où manquait, non seulement l'autorité, mais l'argent. L'insuffisance de nos ressources devait nécessairement ajouter beaucoup de privations journalières à celles que la maladie imposait à ta bonne maman ; cependant, je puis te dire que ces privations ont été bien adoucies par le travail de Nanette qui, son ouvrage fini, s'enfermait le soir dans notre petite chambre, et recommençait en cachette à coudre ou à tricoter, tout en me racontant une belle histoire pour me donner un doux sommeil. Le prix de ce travail secret se dépensait dans la maison sans que la malade sût d'où lui venait ce soulagement ; tout cela, vois-tu, est admirable.

Dieu ayant résolu de rappeler à lui ma mère, il le fit au moment où je venais de m'approcher de la table sainte pour la première fois : je le remercierai toute ma vie de ce qu'il a bien voulu, à la dernière heure, rendre à cette mère vénérée la connaissance parfaite des choses présentes ; cette connaissance parfaite n'a duré qu'un instant, mais cet instant a suffi pour payer du moins la dette de la reconnaissance comme on se paye entre les âmes d'élite. Les yeux de ma mère se sont reposés dans ceux de ma nourrice avec une douceur sans pareille, et d'une voix presque éteinte, elle a dit en me montrant : « Je vous la laisse, je vous la donne, elle vous appartient ! » La nourrice me prit entre ses bras, elle m'appela *ma fille*, et je sentis que ma famille, mon pays, tout était enfermé dans ce cœur qui m'aimait tout seul, car ma pauvre mère avait perdu connaissance, et bientôt après elle ne respirait plus.

Écoutez-moi, Blanche, jamais nous ne ferons assez pour la vieille Nanette, jamais nous ne lui rendrons ce qu'elle nous a sacrifié. Le croirais-tu, Blanche, pour que ma respectable mère fût conduite au tombeau avec cette convenance qui est le dernier privilège de notre classe, ma nourrice a vendu ses trésors, et quels trésors ! combien ils devaient lui être chers ! je ne l'ai compris que le jour de mon mariage, c'étaient les boucles d'oreilles et la croix d'or que lui avait données le pauvre couvreur ! Oh ! vois-tu, ma fille, la moitié de nos richesses, fussions-nous millionnaires, ne paierait pas ce sacrifice ! Partager sa fortune ne serait pas assez, c'est son cœur qu'il faut partager après de tels actes, c'est ce que j'ai fait. Tout le temps qu'il nous a fallu passer en Italie, j'ai aimé ma nourrice avec une profonde tendresse, et depuis, entends-le bien, depuis, s'il m'avait fallu rester pauvre avec elle, ou devenir riche sans elle, j'aurais gardé la pauvreté. Je lui dois tout. C'est elle qui m'a élevée de son mieux, me montrant ce qu'elle savait, me donnant sans me contraindre l'habitude et le goût du travail des mains, mais conservant en moi cette dignité première qui, disait-elle naïvement, ne doit pas s'en aller avec les atours. C'est par ses soins intelligents et délicats que, en Italie, j'ai connu des Français qui m'ont laissée me mêler à leur vie et m'ont donné ces heures de gaieté, de rire, de jouissances que la jeunesse réclame.

L'histoire de la nourrice.

Ma nourrice, tout en gardant la plus stricte simplicité, était respectée en émigration comme l'aurait été ma mère. Plusieurs personnes lui ayant conseillé de quitter son costume villageois et son bonnet de nourrice, pour adopter certaines modes que sa position à part eût suffisamment justifiées : « Non, répondit-elle, il faut que d'un coup d'œil on sache que mademoiselle est ma maîtresse, et que j'ai eu l'honneur d'être sa nourrice. » Ainsi elle était bonne et humble, et faisait comme les choses les plus simples ce que personne n'eût fait : je te le dis, ce genre de vertu est rare et doit être admiré.

En Italie, Nanette a tant travaillé pour moi que ses yeux se sont affaiblis : je l'aidais, mais qu'était le travail d'une enfant ? Elle ne prenait de repos que le dimanche et les jours de fête, et c'est ainsi qu'elle fit face à tous nos besoins, et trouva moyen de mettre de côté une forte somme qu'elle appelait le pain du voyage. Si tu savais comment se forma cette somme ? Nanette avait une grande tirelire en bois, grossièrement sculptée ; comme cette tirelire n'était pas très solide, elle l'avait entourée d'un vieux ruban jaune et bleu...

– Quoi ! interrompit Blanche, celle qui est sur votre commode, et que j'aurais tant voulu jeter au feu tant elle est laide ?

– Précisément. Tu comprends maintenant pourquoi j'y tiens ? Cette tirelire était autrefois placée dans une encoignure de notre alcôve qui semblait une cachette faite exprès. Chaque fois que Nanette avait gagné un peu d'argent et acheté ce qui nous était nécessaire, elle jetait le reste dans la tirelire ; ce manège dura des années, et à force de pièces blanches, il arriva qu'une petite fortune s'acquit presque à notre insu. Lorsque fut résolu notre retour en France, on brisa la tirelire, et il s'y trouva de quoi fournir aux frais qui étaient considérables, de quoi vivre pendant les premiers mois de notre arrivée, et même acheter quelques parures simples, comme il convenait à une orpheline de bonne maison qui rentrait dans son pays au milieu des ruines du passé. Elle tenait beaucoup à ma toilette, la chère nourrice, et j'ai gardé la mémoire de certaine robe blanche et rose qu'elle m'avait faite elle même avec un soin maternel pour me présenter aux possesseurs de cette terre qui avait été celle de mes parents. Le vieux marquis des Ternes, émigré comme nous, et mon dévoué protecteur, m'avait mise en rapport avec cette honorable famille, qui dès le premier jour me témoigna une bienveillance toute affectueuse.

Je ne te conterai point en détail les événements qui suivirent : la Providence daigna vouloir que l'oiseau-chassé de son nid y revînt, les ailes toutes grandes, et s'y cachât de nouveau pour aimer à son tour. Cela se fit comme le reste, par l'entremise de mes deux soutiens. Le vieux marquis des Ternes régla les affaires d'argent, et la nourrice régla les affaires de cœur. Elle était vraiment mon ange gardien ; aussi mon heureux mariage ne se fût-il pas conclu si elle n'y eût donné son consentement comme une mère le donne à sa fille. Ton père fut frappé de sa sagesse dès les premiers jours qu'il la connut, et le jour de mes noces, nous convînmes ensemble de la couvrir de respect et d'hommages, afin de reconnaître devant tous son grand et noble caractère. Lui-même voulut me recevoir de ses mains lorsque, toute parée, le jour de mes quinze ans, je fus amenée devant lui dans la chapelle de ce château pour y être bénie et devenir châtelaine. On avait préparé pour Nanette un prie-Dieu tout près du mien ; elle ne voulait pas s'y agenouiller ; on manqua de la faire pleurer, et il fallut que je joignisse ma prière à celle de ma nouvelle famille pour obtenir qu'elle cédât.

Au moment où le prêtre me demandait, selon l'usage, si je consentais à devenir l'épouse de M. Tenassy, je me détournai et m'inclinai devant ma nourrice comme j'eusse fait en vérité devant les auteurs de mes jours. Son embarras me fit peur, et pour la rassurer je lui jetai ce mot bien bas :

« Ma mère m'a donnée à toi !... »

Oh ! comme je sentais qu'au ciel et sur la terre, mes deux protectrices priaient pour moi ! j'étais calme et confiante au seuil de la vie, je n'avais aucune peur de l'inconnu, parce que ma nourrice était là. Ton père avait conçu pour elle un si tendre respect qu'il lui demanda de s'asseoir à notre table le jour de mon mariage, et tous les jours heureux ou malheureux qui devaient suivre ; elle n'y consentit point et voulut demeurer dans son humble condition ; nous l'y laissâmes donc, mais en l'entourant d'une affection aussi vraie que durable. Depuis, elle a partagé de mon existence le bon et le mauvais, se tenant toujours à distance, ne se rapprochant qu'au temps de l'affliction. C'est en elle que j'ai trouvé le meilleur soutien lorsque ton frère et tes sœurs sont allés m'attendre là-haut

L'histoire de la nourrice.

pendant que je restais, moi, suppliante et malheureuse ; c'est elle qui m'a empêché de perdre courage quand ton père a rejoint nos enfants. Pour que je pusse aimer encore la vie, elle ne me parlait que de toi, si petite, qui avais tant besoin d'appui ; elle me disait qu'à nous deux nous cultiverions ta nature, nous ferions de ton cœur un repos pour la fin du voyage, car elle est arrivée aux derniers arbres qui bordent le chemin, ma nourrice, et moi je t'ai reçue de Dieu à ce temps où l'on a déjà fait plus de la moitié de la route. Ce qu'elle disait, j'ai voulu le croire, je n'ai pas appelé d'étrangère pour former ta pensée, étendre tes connaissances : je ne t'ai pas non plus envoyée au loin, tant j'ai eu peur de manquer de courage en te voyant partir. Et toi, tu n'as pas senti la double influence qui te protège, tu n'as pas aimé le berceau que nous t'avions préparé, tu n'as pas compris que, tout ici se rapportant à toi, tu devais grandir dans l'amour du devoir, obéir à Dieu et à nous, te rendre digne des biens dont le ciel t'a comblée.

Et moi, Blanche, après tant de luttes et de fatigues morales, moi, j'ai cherché ce repos dont m'avait parlé la nourrice, j'ai bien trouvé ton cœur, mais, dis-moi, m'y suis-je reposée ?... »

Blanche releva la tête, sa mère la vit tout en larmes : son regard demandait pardon, ses mains serraient les mains de M$^{me}$ Tenassy ; une chose la frappait, c'était l'estime profonde que les deux femmes qui l'élevaient avaient l'une pour l'autre : pourtant elle était si émue qu'elle ne savait que dire. Sa mère se leva et, se servant des mêmes paroles qu'elle avait dites en commençant, elle répéta :

« Ma fille, j'ai confiance en toi. »

# IX

*La petite marchande.*

Le joli agneau de Madeleine avait été vendu trente francs. C'était une fortune dans un intérieur aussi pauvre.

On songea d'abord à appeler un médecin, mais le jour suivant, arriva le docteur Dupont envoyé par le château : Brigitte, très étonnée, le reçut avec reconnaissance et sut mettre à profit ses conseils, car, si elle évitait de demander des services, elle acceptait avec gratitude ceux qu'on lui rendait. Dès le lendemain de la consultation, Nanette apporta discrètement dans un panier couvert tout ce qui, d'après l'ordonnance du bon docteur, devait soulager la malade, et de plus, des provisions pour les enfants. Blanche accompagnait Nanette, et jetait sur Madeleine un regard si bon que celle-ci se mit à l'aimer de tout son cœur et tout de suite. Elle lui montra son jardin, ses poules, ses lapins, et répondit aux questions que lui fit Blanche avec l'aisance que donne la sympathie.

Quinze jours à peine s'étaient écoulés, les deux jeunes filles s'entendaient à merveille et formaient ensemble des projets charmants.

« Voyez-vous, Madeleine, disait M$^{lle}$ Tenassy, je veux être bonne, tout à fait bonne, et c'est très difficile. Cependant, depuis que je vous connais, je commence à mieux faire, maman est plus contente de moi, et m'a promis pour ma récompense d'essayer de vous rendre heureuse. Comprenez-vous, quand je serai sage, très sage, vous aurez plus de joie, et si j'étais paresseuse et désobéissante, vous en auriez moins ; quel malheur ! Mais je veux être bonne ; on m'a conté deux belles histoires qui m'ont fait beaucoup réfléchir, et puis, à la fin de l'année je ferai comme vous, et avec vous ma première communion, alors tout ira bien.

– Mademoiselle Blanche, répondait Madeleine, je serais confuse de vos bontés si je ne vous aimais pas déjà beaucoup : mais quand on aime quelqu'un, on reçoit volontiers son aide, et l'on se sent touché, attendri, sans être humilié.

– Oh ! que vous auriez grand tort d'être humiliée, ma bonne Madeleine, le bon Dieu a rendu à maman des richesses qu'elle avait crues perdues, et moi, je jouis de tous ses biens ; il est donc naturel que vous, qui partagez la malheureuse position de votre mère, tout en l'adoucissant, vous soyez aidée par moi.

– Êtes-vous donc déjà riche ? demanda Madeleine avec enjouement.

– Très riche, répondit Blanche sur le même ton. Maman me donne tous les mois quinze francs quand j'ai bien travaillé, et à présent je travaillerai toujours bien. Et puis j'ai deux poules à moi, une blanche huppée, et une noire crève-cœur ; je puis disposer de leurs œufs et de leurs couvées : j'ai mon jardin à moi, dans lequel sont venues de belles fleurs, et qui renferme aussi quelques beaux arbres à fruits, des planches de légumes, cela m'appartient ; maman me l'a donné il y a longtemps, et, le croiriez-vous, je n'en ai senti le prix que depuis très peu de jours.

– Depuis quand, à peu près ?

– Depuis que j'ai eu l'espérance de partager avec vous, Madeleine.

– Que vous êtes donc bonne, mademoiselle ! Comment ! vous vous occupez tant de moi ?

– Oui, je pense à vous bien souvent. C'est tout simple, maman veut que vous ne soyez plus malheureuse, pourvu qu'elle ait une bonne fille. Écoutez, j'ai causé avec Nanette qui entend les affaires, je lui ai confié les idées qui roulaient dans ma tête.

– Vous avez des idées qui roulent dans votre tête ? Et moi aussi j'en ai, quelle drôle de chose !

Seulement, je ne puis les confier à personne ; à tout ce que je dis, maman répond : C'est impossible !

– À nous deux, tout sera possible, Madeleine, vous verrez ! D'abord, il faut absolument que nous nous tirions de là. Vous avez très peu d'argent, n'est-ce pas ?

– Dans ce moment nous sommes riches, au contraire, à cause de Loulou...

– Ah ! Loulou ! Loulou que vous avez tant pleuré ! Tenez, je m'en veux quand je pense que si j'avais été douce, appliquée, gentille, j'aurais pu racheter Loulou, moi, Loulou qui vous aimait !

– Ne parlons plus de lui, s'il vous plaît, ma chère demoiselle, voilà les larmes qui me gagnent, et j'ai dit que je ne voulais plus regretter mon agneau, puisque je l'ai vendu pour ma mère.

– Ah ! c'est tout de même triste ! quand je l'ai rencontré sur le chemin, il était si joli, si blanc, si aimable !

– Que voulez-vous ? on l'élevait pour le boucher. Je n'aurais pas dû l'aimer ; mais vrai, je n'ai pas pu faire autrement, ce n'est pas ma faute, c'est la sienne, il était si gentil !... Non, non, je ne veux plus y penser, c'est pour ma mère qu'on l'a tué...

– Pauvre Madeleine ! Voyons, parlons de nos projets. Dites-moi d'abord les vôtres.

– Ah ! mes projets, ce sont des folies ! Tenez, si j'avais quelques avances, je voudrais être une petite marchande sans sortir de la maison ; les deux fenêtres serviraient de montres, on y mettrait...

– Très amusant ! on y mettrait du calicot, de la toile, des bonnets, des cols, de la mercerie.

– Eh, je n'ai rien de tout cela, mademoiselle ; je pensais y mettre les œufs de nos poules, de la salade du jardin, des choux, des carottes, des poireaux, nos poires et nos pommes dans la saison, un beau lapin de temps en temps.

– Bonne idée ! les deux : fruitière et mercière ! une fenêtre pour chacune ! vous vendrez ce que vous avez, et moi, je vous apporterai toutes sortes de choses que j'achèterai avec l'argent gagné par mon travail. Et puis je m'amuserai à faire de petits ouvrages en tapisserie, ou en perles, ou au crochet ; vous les vendrez, quelle joie ! Il faut commencer la semaine prochaine, demain, si cela se peut. »

Telle fut la conversation vive et pressée des jeunes filles ; la nourrice ne l'interrompit qu'à regret, mais elle avait affaire au château. Elle se réjouit de quelques mots qu'elle avait entendus, et se dit au fond de l'âme que sa chère enfant était sauvée de son égoïsme et de son apathie.

Peu de temps après, tout avait changé de face : M^{me} Tenassy, touchée du repentir de sa fille, avait repris ses fonctions d'institutrice, Blanche apprenait ses leçons courageusement et les récitait, sinon sans faute, du moins avec bonne volonté ; elle lisait, écrivait, comptait sous les yeux de sa maman, sans témoigner de répugnance pour l'étude, sans faire cette détestable moue qui est le trait distinctif des paresseux. On commençait à se dire : Blanche prendra du goût au travail. Et, en effet, elle s'ennuyait beaucoup moins depuis qu'elle s'y donnait tout entière.

En même temps, il se faisait un changement total dans la petite maison de Brigitte, déjà soulagée par les soins affectueux qu'on lui prodiguait. À l'une des fenêtres, on voyait les premiers éléments d'une fruiterie ; à l'autre ceux d'une mercerie. À la prière de Blanche, M^{me} Tenassy lui avait fait de fortes avances sur sa pension, elle y avait joint un beau cadeau de cent francs pour fonder le petit commerce. Il avait été permis à la jeune propriétaire de porter chez la paysanne les fruits et les légumes qui viendraient dans son jardin.

*La petite marchande.*

Autrefois elle ne prenait aucun soin de son jardin. À présent, on la voit causer sérieusement avec le jardinier, lui demander conseil pour faire rapporter davantage à la terre. La sécheresse cette année était menaçante, Blanche prend son arrosoir et jette une eau bienfaisante sur ces herbages tant négligés, sur ces fraisiers des quatre saisons à demi grillés, etc., etc. ; aussi ses carottes sont-elles magnifiques, sa récolte de pommes de terre abondante.

Un soir, le visage rayonnant de plaisir, Blanche, accompagnée de la nourrice, alla porter tous ses trésors chez la nouvelle petite marchande : la grande brouette que roulait Anatole, le fils du cocher, ne suffit pas, M$^{lle}$ Tenassy se chargea d'une corbeille de fraises, et Nanette prit entre ses bras deux choux admirables, derrière lesquels sa large carrure disparut.

Les voilà arrivant à la maisonnette ; les deux petits garçons attendaient sur le pas de la porte en battant des mains ; les fraises entrèrent les premières, les choux en second. Anatole s'assit au dehors d'un air triomphant, jetant souvent un regard de satisfaction sur sa brouette. Ce fut avec des exclamations de bonheur qu'on reçut les dons de Blanche : il s'y mêla des pleurs d'attendrissement lorsque Nanette raconta comment ces légumes étaient devenus si beaux, malgré la sécheresse, et de quels soins la jeune fille les avait entourés. Brigitte et Nanette se mirent à parler des enfants à demi-voix dans le fond de la chambre ; c'est le bonheur des mamans et des nourrices. Pendant ce temps-là, la jeunesse entreprit une œuvre aussi intéressante que difficile, celle d'arranger les montres : il fallut des combinaisons à perte de vue. Ce chou ainsi posé était d'un effet ravissant, mais la fenêtre ne pouvait plus s'ouvrir ; ces fraises parfumées faisaient bien dans un fond, mais, petites maîtresses délicates, elles se plaignaient avec justice d'être trop près des oignons. On dérangea cent fois l'ordre des choses, Anatole fut souvent consulté, il s'y entendait et donnait d'excellents conseils. Le petit Jacques fut grondé pour avoir mangé la moitié d'une carotte crue ; c'était avoir bien peu de prétentions, assurément ; cependant on lui fit observer que si les commerçants mangeaient leurs fonds, il leur faudrait fermer boutique ; il versa une petite larme, s'essuya les deux yeux et n'y pensa plus.

De son côté, Madeleine, depuis quelques jours, avait mis à part, dans une corbeille de jonc, les œufs de ses poules ; la salade de son jardin était fraîche et appétissante, et pour achever le tableau, un beau lapin fut exposé dans une grande cage d'osier ; chacun put le voir manger tranquillement ses herbages en vous regardant d'un air bien indifférent. Il y avait de quoi faire du bruit dans le pays ! Cette montre faisait contraste avec l'autre, formée aussi de gradins en bois blanc, et ornée de tout ce qui peut se vendre à bon marché dans un village. M^{me} Tenassy avait envoyé la veille plusieurs pièces d'indiennes communes pour faire des robes de travail, de la cotonnade bleue pour tablier, de la percaline pour doublure. Blanche avait acheté, de son argent, du lacet, du galon, du fil, des aiguilles, tout en petite quantité, mais assez pour commencer la réputation de Madeleine, qu'on appelait déjà la petite marchande, car c'était sur elle et sur Blanche que pesait toute la responsabilité ; il avait été décidé que les parents ne donneraient que des encouragements, et un peu d'aide au besoin, comme ils font toujours dans les moments difficiles.

Lorsque les enfants eurent achevé l'installation de leur petite fruiterie, il y eut des transports de joie, on se reculait de quelques pas pour voir l'effet, on se regardait, on riait, jamais récréation n'avait été plus agréable aux yeux de Blanche, et elle se répétait au fond du cœur ces paroles de sa mère :

« Si tu es bonne, je te laisserai la rendre heureuse. »

Elle comprenait, la chère enfant, combien étaient sérieux les engagements pris avec elle-même, et avec tous ceux qui l'entouraient : y manquer lui semblait impossible, elle s'appuyait sur la force de ses résolutions et se croyait sage pour toujours.

Au moment où l'on allait se retirer parce que le jour baissait, il arriva une joie de plus. François le jardinier du château, apportait de la part de M^{me} Tenassy un melon d'une beauté remarquable, destiné à rendre plus magnifique encore l'ouverture de la fruiterie. On admira, on remercia, le jardinier s'amusa beaucoup de l'entrain général, et, comme on lui demanda conseil, il choisit lui-même une place pour le fameux melon, sur le degré le plus élevé, entre les deux choux qui semblaient des gardes d'honneur ; les fraises étaient couchées bien tranquilles à ses pieds, un peu de verdure formait sa couronne, et il paraissait s'attendre aux hommages du peuple comme un roi siégeant dans la salle du trône. Seulement,

François, en connaisseur habile, recommanda de lui faire passer la nuit dans un endroit bien frais. En général, tous les nouveaux habitants de la maisonnette aimant la fraîcheur, il fut convenu que Madeleine, chaque soir, les conduirait dans un lieu de repos exposé à l'air vif de la nuit, et que tous les matins elle leur ferait reprendre place sur les gradins, afin qu'ils donnassent audience au public ; c'était un long travail, mais la petite marchande ne craignait pas de se donner de la peine, elle était bien résolue à faire fructifier les dons de la Providence et à ne rien négliger pour réussir.

On se sépara très contents les uns des autres, et chacun s'en alla dormir. Blanche rêva qu'elle était au comptoir, qu'elle vendait énormément, et qu'elle s'amusait encore plus.

## X
### *Un premier jour de vente.*

Rien de plus drôle que l'empressement des commères de Sainte-Foy lorsqu'elles surent que la fruiterie de Madeleine était ouverte ; chacune eut besoin d'acheter quelque chose, et comme cependant on ne voulait pas risquer une forte somme pour satisfaire sa curiosité, on tomba sur le persil, sur l'échalote et sur l'oignon.

La mère Nicaise arriva juste au moment où, pour la première fois, la petite marchande achevait à grand-peine son étalage.

« Eh bien, Madeleine, tu vas donc faire des affaires ?

– Mais oui, mère Nicaise, avec vous, j'espère ; allons, vous allez m'étrenner. Qu'est-ce qu'il vous faut, mère Nicaise ?

– Combien ton melon ?

– Deux francs cinquante, et je ne surfais jamais. Du reste, il n'est pas cher, c'est du beau et du bon, ça vient de chez Madame.

– Ah ! je pense bien qu'il n'est pas venu dans ton jardin au lieu d'une carotte. Et tes fraises, combien ?

– Je vous en donnerai pour quatre sous, si vous voulez, pour trois sous même.

– J'aime mieux des framboises.

– Dame, je n'en ai pas. Il n'y a pas de framboisiers dans le jardin de mademoiselle, et vous savez, mère Nicaise, que c'est de ses bontés et de celles de sa mère que je monte ma petite maison.

– Ça ne durera pas, va ! je connais les riches, ils ont ce qu'il leur faut, ils se moquent bien du pauvre monde !

– Pardonnez-moi, mère Nicaise, il y a des riches qui ne pensent qu'à faire du bien, et ces dames sont de ce nombre. Il ne vous faut pas de navets ?

– Combien les vends-tu ?

– Trois sous la botte.

– Je n'aime pas les navets.

– J'ai des oignons superbes.

– Voyons voir ?

– Les voilà, tenez.

– Bon, qu'est-ce que j'en ferais ?

– C'est pourtant bien bon dans le fricot ! Des pommes de terre ? J'en ai de la belle à six sous le boisseau, en voulez-vous un boisseau ? De la pomme de terre magnifique, c'est délicieux !

– Bah ! la pomme de terre, ça m'étouffe.

– Ah ! comme je tombe mal, moi qui croyais vous régaler ! prenez-moi au moins une salade ?

– J'en ai plein un panier. Tiens, donne-moi plutôt pour un sou de persil.

– Volontiers, mère Nicaise.

– Ah ! elle est en belle humeur, la demoiselle du château, c'est un beau miracle ! Il paraît qu'elle est méchante comme tout.

– Oh ! si on dit cela, il ne faut pas le répéter, ce serait bien mal. Une demoiselle qui accepte pour sa récompense la promesse de me faire du bien !

– Je ne m'y fierais pas ! Elle est fière de son argent comme un paon de sa queue !

– Fière ! ah ! par exemple ! Elle cause, elle rit, elle s'amuse avec moi comme si j'étais de son rang. Elle apporte elle-même du bouillon à maman, du bouillon si excellent que ses forces reviennent déjà.

– C'est possible... Je n'aime pas les riches, moi. Dis donc, ma fille,

Un premier jour de vente.

si tu ne me donnais pas de persil, ça vaudrait tout autant, je n'en ai pas grande envie.

– Ce sera pour une autre fois, mère Nicaise, quand vous aurez besoin de quelque chose. »

N'ayant donc acheté ni melon, ni persil, la vieille bavarde s'en alla causer un peu plus loin ; c'était presque son unique occupation, quoique le père Nicaise le trouvât fort mauvais, et lui exprimât quelquefois par des coups sa façon de penser à ce sujet. Si tout le monde avait fait comme elle, Madeleine aurait pu concevoir une triste idée du commerce à Sainte-Foy, mais elle fit dès le premier jour quelques affaires, quoique de peu d'importance, et, vers six heures, M^me Tenassy, ayant reçu une famille des environs et l'ayant invitée à dîner, envoya demander à Madeleine, par une délicatesse charmante, si elle ne pourrait pas lui vendre un beau melon.

« Prenez, prenez, dit Madeleine au domestique du château, celui-ci appartient à Madame, je suis trop heureuse de l'avoir eu toute une journée pour attirer les regards des passants.

– Non, mamzelle Madeleine, j'ai ordre de vous le payer trois francs comme à une vraie marchande que vous êtes. »

La jeune villageoise se redressa toute fière du titre que lui donnait Guillaume, et le chargea de remercier M^me Tenassy ; le melon fut emporté.

Le soir venu, Madeleine, aidée par sa mère, fit ses comptes ; elle y mit toute l'attention possible, se trompa trois fois de suite, et, à force de patience et de bonne volonté, vit d'une manière certaine qu'elle avait réalisé un bénéfice de sept francs ! C'était bien beau, bien encourageant ! La chère enfant sauta de joie et se promit monts et merveilles. Comme Perrette au pot au lait, elle compta d'avance ce qui lui reviendrait à peu près sur sa vente de tous les jours, ajouta les sommes les unes aux autres, en fit une véritable fortune, et se mit à acheter en rêve tout ce qui manquait dans la maison ; sa mère eut tant de bien-être et tant de joie que sa guérison fut complète ; ses petits frères bien portants, bien vêtus, allèrent à l'école avec un panier plein de bonnes choses ; une belle chèvre dont on fit l'acquisition donna du lait à toute la famille ; enfin, c'était absolument l'histoire de Perrette ; hélas ! qu'arriva-t-il au pot au lait ? On le verra...

Une seule chose attristait Madeleine en ce premier moment d'illusion et de bonheur. « Malheureusement, pensait-elle, j'aurai beau devenir bien riche, bien riche, jamais je ne le serai assez pour ramener sous notre toit mon cher petit Loulou. Il est vendu, il est tué, il est mangé ! le mal est irréparable ! Ah ! si mon magasin avait été ouvert quelques semaines plus tôt ! allons, je dis toujours que je n'y penserai plus, et j'y pense encore. Quel malheur d'avoir aimé cet animal à ce point-là !... C'est que vraiment il était charmant !... Assez, assez, ce qui est fait est fait ; maman va mieux, c'est l'essentiel. Il ne faut pas regretter une seule des circonstances qui ont amené ce mieux, ce serait une ingratitude envers la Providence. »

Madeleine, se livrant ainsi à la réflexion, monta d'un degré, son esprit aborda un autre ordre d'idées ; elle se rappela, comme elle faisait très souvent, que, dans quelques mois, vers la fin de l'hiver, elle ferait sa première communion. Quel beau jour que celui-là, quelle fête ! et comment ne pas s'y préparer longtemps à l'avance en prenant les moyens indiqués tous les dimanches par monsieur le curé : 1° aimer le bon Dieu de tout son cœur ; 2° remplir avec bonne volonté les devoirs de son état. Était-ce très difficile ? Non ; la petite paysanne était accoutumée depuis l'enfance à élever plus haut que la terre ses pensées et ses désirs : elle savait peu de chose, mais quand elle regardait la montagne qui faisait face au village, l'eau qui serpentait la prairie, les ormeaux et les saules qui bordaient la route, Madeleine trouvait cette nature belle et riche, et jamais elle ne manquait de remercier le Créateur par un de ces élans joyeux qu'il daigne recevoir de nous comme une action de grâces. Ce fut dans ces bonnes pensées que le sommeil gagna la petite marchande, et le lendemain, elle se leva souriante, disposée à bien faire, et toute gentille en vérité. Brigitte ne se lassait pas de la regarder, et de dire tout bas, et quelquefois tout haut :

« Ah ! la bonne fille que j'ai là ! »

## XI

*Feu de paille.*

Comment peindre l'ardeur de Blanche dans les premiers temps de ses bonnes résolutions ? Son réveil, toujours aimable, était le signal de son lever ; on la voyait s'habiller promptement, faire sa prière avec respect, souhaiter gracieusement le bonjour à sa mère, et se mettre au travail avec un courage remarquable. Elle fit tant de progrès en un mois que M^me Tenassy ne pouvait assez lui en témoigner sa satisfaction.

Quant à la nourrice, elle se frottait les mains, assurant que depuis quelque temps Blanche lui rappelait sa chère Athénaïs enfant ; elle ne pouvait rien dire de plus, c'était en elle le plus haut degré de l'admiration. Aussi mettait-elle tous ses soins, toute sa science, à seconder la bonne petite dans ses efforts. Elle entrait dans ses vues par rapport à Madeleine, et l'aidait à lui préparer de nouvelles surprises. C'est ainsi qu'une des poules de Blanche ayant demandé à couver, Nanette lui fit un nid très confortable dans un endroit retiré, et lui confia treize œufs des plus beaux qu'elle put trouver. Blanche fut transportée de joie ; elle se proposait de soigner tendrement la poule et les poussins, de les nourrir, de les engraisser, et de les donner plus tard à Madeleine afin qu'elle les vendît. C'était une fort bonne idée : une fruitière qui offre à ses pratiques dix ou douze poulets bons à mettre à la broche ! Mais il fallait acheter du grain, et comme M^me Tenassy voulait apprendre à sa fille à se priver pour faire le bien, elle lui fit observer que ce grain devrait être payé par elle sur l'argent qu'elle recevrait en récompense de son travail. L'enfant promit tout, consentit à tout, il est si facile de bien commencer. Aux premiers pas, on n'est pas encore fatigué, voilà pourquoi on se sent léger à la course, mais plus tard, c'est autre chose. Il y a en nous dans le jeune âge je ne sais quelle pente au bavardage, au rire, autant d'ennemis jurés du travail consciencieux et persévérant. Blanche fut pendant cinq ou six semaines presque exempte de tentations violentes. Assise à sa table d'étude, elle lisait, écrivait, comme un sage de la Grèce antique ; elle eût voulu ne pas respirer, de peur de perdre son temps.

Un peu plus tard vinrent les tentations ; elle y résista courageusement. Mirette, admirable chatte blanche, digne de toutes sortes d'égards, se glissa inutilement dans la salle d'étude, et fit ses mines les plus touchantes ; elle en fut pour ses frais, on ne lui parla point, et comme elle insistait, on la mit à la porte, ce qu'elle trouva impoli au suprême degré.

Blanche se conduisait donc à merveille, mais elle avait trop de confiance en elle-même. D'ailleurs, on n'atteint pas tout d'un coup à la perfection ; c'est pas à pas qu'il faut y tendre, se défiant humblement de ses propres forces, et s'appuyant sur le secours qui, de toutes parts, nous est offert par la bonté de Dieu. La chère enfant, sans trop s'en rendre compte, mettait de l'orgueil dans sa vertu ; elle se croyait infaillible, se moquait de ses faiblesses passées, et disait fièrement qu'à l'avenir il ne lui en échapperait aucune. Sa mère l'observait en silence, et ne doutant point qu'il n'arrivât chute et rechute, elle se préparait à l'indulgence.

Le temps passa ; puis survinrent les aventures périlleuses où Blanche devait laisser cent fois sa patience, sa vigilance et son application. Qui causa ce désordre ? Il n'y eut pas besoin de circonstances bien positives, ce fut un entraînement lent, mais progressif. L'orage commence souvent par un peu de vent et quelques nuages : il en est de même de nos troubles intérieurs.

On a douze ans, treize ans, et même davantage, on étudie, on lit un chapitre un peu long qui parle des anciens, je suppose, de ce qu'ils firent et de ce qu'ils ne firent point : on veut bien lire, les yeux y consentent, mais l'esprit est distrait par le suave parfum d'une rose qui s'épanouit à deux pas de la fenêtre, distraction innocente s'il en fut jamais. Sans malice aucune, on lève le nez, car c'est à lui qu'on doit cette jouissance : les yeux sont par leur nature si près du nez qu'ils imitent volontiers les faits et gestes de celui-ci ; donc, ils quittent les anciens et cherchent parmi les modernes la jolie rose ; la voilà, qu'elle est belle ! La bouche a formulé cette louange dans un juste sentiment d'admiration ; la main, qui est hardie par tempérament, s'élance sur la fleur, mais la distance est trop grande. Cependant deux petits pieds sont là, toujours prêts à trotter au commandement : ils se dirigent vers la fenêtre, elle est basse et commode, un saut suffirait, on le fait, la main cueille la rose : un papillon dormait sur ce lit parfumé, il se réveille et s'envole, les petits pieds s'élancent à sa poursuite sans y avoir seulement pensé ; ils franchissent en un instant une distance telle que l'esprit s'en étonne ; celui-ci voudrait hasarder une réflexion, on ne lui en laisse pas le temps : Brack, le chien favori, s'est mis à courir à son tour, il est là, fou de joie, mordillant les petits pieds, ne faisant de mal qu'aux souliers, jappant, sautant, remuant la queue si gentiment que l'esprit lui-même s'arrête, plaisante avec Brack, s'amuse et

Feu de paille.

oublie... qui donc ? Les anciens. Pauvres anciens !

Une autre fois, une distraction passera par la tête, juste en même temps qu'un roi de France qui vient d'y entrer. Vous ne cherchez point à la retenir, mais comme vous ne la renvoyez pas à l'instant même, elle prend un siège et s'établit chez vous : elle cause, vous ne lui répondez pas ; elle insiste, elle vous présente une image, jolie entre toutes les images ; c'est l'intérieur d'une ferme que vous avez visitée il y a deux mois ; vous êtes sage et ne voulez par conséquent donner lieu à aucun mal ; donc, vous continuez à apprendre par cœur ce résumé fidèle de l'histoire de Louis XIV ; sa jeunesse orageuse passe sous vos yeux, vous assistez à la guerre de la Fronde, et en même temps, tout en regardant votre livre, vous voyez battre le beurre : c'est très amusant ; la crème s'épaissit. On se tue tout de même, Mazarin résiste... mais le beurre est fait, on le met en mottes, après l'avoir lavé et relavé, car cette brave servante de ferme est aussi soigneuse que Mazarin est souple et adroit. Turenne et Condé se battent au faubourg Saint-Antoine, vous venez de l'apprendre, et toujours par distraction, vous entrez dans l'étable où l'on vous montre un petit veau de deux jours, gai, alerte, dispos, tournant autour de sa grosse maman qui vous regarde en ruminant et sans rire, pendant que la *grande mademoiselle* fait tirer le canon sur les troupes du roi, ce qui vous étonne, mais beaucoup moins que la prodigieuse quantité de moutons qui s'est offerte à vos yeux dès qu'on a ouvert la porte de la bergerie. Combien sont-ils ? Au moins deux cents ? – Cinq cents, répond la fermière, et vous demeurez ébahie devant ces cinq cents têtes pareilles qui ne disent mot et n'en pensent pas plus. Arrive l'heure du repas des poules et celle de la gloire de Louis XIV : nos armées volent aux frontières, il n'est question que de villes surprises, de forteresses enlevées ; on passe des fleuves à la nage, on s'élance l'épée à la main sur la rive, vous frémissez pour ces braves tout en jetant du grain à cette volatile qui accourt vers vous ; la fermière, pour vous amuser, vous a confié la distribution, vous vous tournez et retournez, semant l'avoine à droite, à gauche, en avant, en arrière, de manière à favoriser tout ce monde, car votre cœur s'émeut à tout moment. Ici, c'est un poulet efflanqué que les camarades repoussent à coup de bec ; là, un canard boiteux qui n'a fait que le quart du chemin quand le dîner est à moitié fini ; vous faites quelques pas vers lui, vous lui servez une forte portion, il se jette dessus et l'avale au moment solennel où Louis XIV, au comble de la gloire, signe la paix de Nimègue, qui met les nations à ses pieds. Encore fière de cette gloire nationale, vous écoutez battre le blé ; ce bruit vous captive comme tout ce qui revient en mesure, vous écoutez attentivement. C'est le canon, la guerre recommence, on est vainqueur, on est vaincu ; le vieux roi s'inquiète et veut s'ensevelir avec sa dernière armée sous les ruines de la monarchie. C'est l'heure que vous choisissez pour accepter sans façon une tasse de lait chaud que vous a présentée la fermière : quelle attention ! Et qu'il fait bon sur ce banc rustique, à l'ombre de ce hangar où règne ce beau désordre qui naît de la nature ?

De la paille fraîche et luisante, quelques instruments de labourage, une charrue, un van, une poule sur le toit de chaume ; vous êtes là, buvant ce lait chaud... et le maréchal de Villars gagne la bataille de Denain. Voilà la France sauvée, le lait bu, vous trouvez que c'est bien et que c'est bon. Le vieux roi voit pâlir son étoile, tout s'affaisse, tout s'écroule, il est frappé dans ses affections, et l'État dans ses appuis ; vous les plaignez l'un et l'autre, mais pas autant que ce chien de garde dont la chaîne est trop courte, qui se jette en hurlant dans le vide, et se retrouve toujours à la même place. Un beau petit âne sort d'une cour intérieure, tous les jours il fait une promenade, portant gaiement dans ses deux grands paniers les légumes et les œufs de la fermière qui, sous la garde du vieux Mathurin, l'envoie au marché. Qu'il est joli, ce petit âne ! vous le regardez si tendrement qu'on vous propose de faire en panier le tour de la cour ; vous acceptez, on vous hisse avec une peine infinie ; vous riez aux éclats : vous voilà partie, et presque en même temps arrivée ; le plus difficile est de descendre, vous en venez à bout au milieu de l'hilarité générale... et Louis XIV est mort sans que vous vous en soyez seulement doutée, vous lisiez pourtant, car le chapitre est fini. Oui, vous lisiez, et, quand il faut répondre aux interrogations, vous ne savez que dire, sinon...

« Mais j'ai cependant lu tout le temps, je n'ai pas levé les yeux.

– C'est vrai, très vrai, c'est au dedans que vous avez vu le beurre, le veau, les moutons, les poules, l'âne et le reste : quelqu'un était là chez vous, c'était la distraction, il fallait la mettre à la porte, ou la jeter par la fenêtre : comme vous n'avez pas eu le courage de le faire, vous vous êtes bien ennuyée à lire ce résumé d'histoire, et

Feu de paille.

vous n'y avez rien compris. L'important c'est d'être à ce qu'on fait, de n'appliquer son esprit qu'à une seule chose. »

Blanche avait bonne volonté, il faut lui rendre justice, mais elle s'appuyait trop sur sa mémoire, sur sa facilité à étudier ; elle ne se tint donc point sur ses gardes quand le premier entrain fut passé, elle donna peu à peu entrée aux distractions pendant les heures destinées au travail ; la dissipation vint d'abord, la paresse, sa sœur ou sa cousine, vint ensuite avec son cortège ordinaire : mauvaise humeur, découragement, mauvaises réponses, manque de respect, et Blanche, si gentille pendant quelques semaines, reprit son ancien caractère, comme on reprend un vêtement usé dont on ne voulait plus... Et Madeleine ? Ah ! Madeleine !

Ce n'est pas que Blanche eût chassé de son bon petit cœur la jeune villageoise, mais son incroyable légèreté faisait tort à ses meilleurs sentiments, et comme ce qu'elle avait entrepris demandait de la suite, et qu'elle n'en mit pas, il arriva que ces négligences causèrent de grands dommages dans les affaires de la petite marchande, dont la complète réussite devait être sa récompense.

## XII

### Un mois d'absence.

On était à ce moment de l'année où volontiers on se fait des invitations à la campagne. M^{me} Tenassy, un peu taciturne par caractère, préférait sa résidence habituelle au changement de lieu qui commençait dès cette époque à être de mode : elle avait de l'air et de l'ombre à Sainte-Foy et s'en contentait : mais certaines considérations de famille la forçaient pour ainsi dire d'accepter l'invitation répétée d'une parente qui habitait avec ses enfants et ses petits enfants une belle terre aux environs de Bordeaux.

Blanche, on le devine, fut transportée de plaisir à la pensée d'un voyage ; elle fit des préparatifs quinze jours d'avance, se promettant beaucoup d'amusement, d'abord dans la nouveauté des impressions, ensuite dans la société de ses deux cousines qui étaient à peu près de son âge. Sa mère, au contraire redoutait un contact inconnu, mais qu'elle ne pouvait éviter.

Arriva le jour de départ : grand bruit, grand empressement, la petite voyageuse allait et venait comme un aide de camp un jour de bataille.

On partait en poste, car les chemins de fer s'organisaient à peine, et l'on était encore libre de choisir, entre les dangers des voyages, ceux qu'on aimait le mieux. M$^{me}$ Tenassy préférait la chaise de poste malgré ses lenteurs, ses arrêts, ses bois à traverser, et ses mille émotions. Blanche, pourvu qu'on remuât, approuvait tous les moyens de locomotion.

Cependant, elle quitta Nanette avec chagrin, Nanette si bonne, si complaisante. Ce fut elle qui se chargea bien entendu des affaires de Madeleine, elle promit de faire de son mieux et se mit à pleurer, la pauvre vieille. Celui qui reste a toujours plus de peine que celui qui s'en va. Pour le voyageur est la distraction de la route et de l'arrivée ; pour l'ami qu'il a laissé, rien de nouveau : c'est la même maison, les mêmes habitudes, seulement ce qu'on cherche avec affection et regret ne se trouve nulle part. Aussi, à peine avait-on cessé d'entendre le fouet du postillon que Nanette, remontée tristement dans sa chambre, s'assit tout abattue dans son grand fauteuil ; il lui semblait qu'elle n'avait plus rien à faire qu'à attendre. Elle aimait tant la mère et l'enfant ; c'était, comme elle disait, son monde, sa famille, oui, elle se mit à pleurer, la pauvre vieille, comme si ce mois d'absence devait être aussi long qu'une année. Et puis, une réflexion pénible se joignait à ce juste sujet de chagrin ; elle savait que les cousines de Blanche étaient gâtées, paresseuses, un peu coquettes. Ce n'était pas le milieu qu'on aurait choisi pour une enfant d'une nature légère, molle et capricieuse ; les circonstances l'imposaient, mais Nanette n'ignorait pas que la jeunesse imite facilement, et se porte plus ordinairement à ce qui est imparfait, parce que c'est aussi plus commode : elle n'était donc pas sans inquiétude. Assise dans son grand fauteuil, son indispensable tricot en main, elle laissa longtemps sa pensée courir sur la route de Bordeaux à la suite de ce qu'elle avait de plus cher, et commença tout d'abord par trouver que ce premier jour d'absence ne finissait pas.

Pendant ce temps les chevaux galopaient, et, à force de galoper, arrivaient dans la cour d'honneur de M$^{me}$ de Saint-Clair. Toute la famille était sur le perron ; les deux jeunes filles descendirent les

Un mois d'absence.

premières et s'approchèrent de Blanche, on s'embrassa, on se dit trois paroles, et la connaissance fut faite. À cet âge on va vite, ce qu'on demande à ses amis, c'est de savoir jouer, rire et ne point parler raison : or, pour ces trois choses, ces trois têtes étaient d'accord, avec cette différence remarquable que Blanche sentait parfaitement qu'il y a temps pour tout, tandis que ses cousines ne travaillaient qu'en riant, ne lisaient que des contes et ne prenaient une aiguille que pour la perdre cinq minutes après. M^{lle} Tenassy dès le premier moment se promit beaucoup de plaisirs, car cette maison n'avait point une physionomie régulière et grave comme la maison de sa mère.

Aline et Stéphanie étaient jumelles, elles avaient près de seize ans. À les juger d'après leur physique et leur toilette prétentieuse, on les eût prises pour de grandes personnes, mais, en pénétrant dans leur intelligence et dans leur cœur, on leur eût donné tout au plus dix ans. Comme elles n'avaient jamais étudié qu'en jouant et sans aucun effort d'esprit, elles étaient demeurées dans une ignorance tout à fait ridicule, et s'étaient accoutumées à ne fixer leurs pensées sur aucun sujet sérieux. Aline bâillait au premier discours qui ne la faisait pas rire ; quant à Stéphanie, plus nulle encore, elle n'écoutait même pas ; ces demoiselles avaient un peu d'esprit naturel et beaucoup de moquerie dans le caractère, ce qui dénote en général peu de bonté ; elles pensaient que cela suffisait pour être aimables et faire de l'effet. Quant à leur petite tête de linotte, elle ne se formait pas ; des études sérieuses et suivies n'étaient pas venues mûrir leur jugement ; elles avaient passé de la poupée aux colifichets de leur toilette, comme elles comptaient passer des colifichets de leur toilette aux grimaces et aux niaiseries de la coquetterie. Assez jolies, bien faites et de bonne tournure, les demoiselles de Saint-Clair se figuraient réellement qu'avec ces avantages naturels et une belle fortune, elles passeraient un jour pour des femmes supérieures. Elles se trompaient bien ! Rien de plus commun que ces femmes rieuses et moqueuses qui n'ont aucun talent que celui du bavardage.

Il y avait à peine vingt-quatre heures que M^{me} Tenassy était chez sa cousine, et elle songeait déjà au moyen d'abréger son séjour, tant elle y trouvait d'inconvénients pour sa fille. Celle-ci au contraire était dans son élément. Aline et sa sœur avaient pour principe de rire de tout ; rien n'est plus commode, cela dispense de raisonner. Elles questionnèrent la nouvelle arrivée sur son genre de vie, et accueillirent par un fou rire ce que celle-ci raconta de l'emploi de son temps à Sainte-Foy. « Comment ! tu te lèves à six heures en été ! mais ma chère, on te traite comme une petite fille, tu es pourtant dans ta quatorzième année. Nous nous couchons à dix heures, quelquefois à onze, et nous nous levons le plus tard possible.

– Comment, demanda Blanche naïvement, on ne vous réveille donc pas ?

– On nous réveille, malheureusement ! mais il y a tant de moyens d'arriver à faire la paresseuse ! On n'a pas dormi de la nuit, on a mal à la tête, on a une rage de dents, une migraine ; les parents trouvent que cela revient souvent, mais on les laisse dire.

– Vous commencez donc vos leçons bien tard ?

– Toujours trop tôt, ma chère, dit Stéphanie. C'est assommant ! Notre institutrice nous casse la tête avec tous les bonshommes dont elles nous raconte les prouesses et les malheurs, il y a de quoi dormir debout ; puis c'est la grammaire avec ses *si* et ses *mais* ; c'est la géographie qui vous promène entre les pôles, tout en vous clouant sur votre chaise ; vient ensuite l'arithmétique, la pire de toutes les inventions, avec ses *plus*, ses *moins*, ses *x*, et cent autres sottises. Tout ensemble me représente un fagot d'épines : ce sont des redites perpétuelles pour fixer dans la mémoire des choses dont on se passerait si bien ! Sans compter les leçons qu'il faut apprendre par cœur comme si l'on avait quatre ans, les analyses qui ne servent à rien, les verbes qui font bâiller, les extraits qui vous embrouillent, et les devoirs de style qui vous bêtifient.

– On dit cependant que votre institutrice s'intéresse à vous et cherche à vous faire avancer.

– Elle y tient beaucoup, et je pense qu'elle serait plus aimable si elle y tenait moins. Elle fait des affaires de tout, c'est ridicule. N'a-t-elle pas imaginé un règlement ennuyeux de tous points, où tout est prévu, sauf le moyen de rire ? Ce règlement une fois mis au jour est devenu son code ; on le consulte comme tel ; il nous fait enrager de demi-heure en demi-heure bien exactement ; je donnerais beaucoup pour qu'il fût jeté au feu, et plus encore pour voir de très loin les talons de la dernière institutrice.

Un mois d'absence.

– Tu ne l'aimes donc pas, M^{lle} Duval ?

– Elle me représente le devoir, la contrainte ; comment veux-tu que je l'aime ?

– Tu me trouves donc bien à plaindre, moi qui n'ai pas de sœur pour rire à tout moment, moi qui vis de devoirs et de contraintes, comme tu disais ?

– Oui, ma chère, je trouve que ta jeunesse se passe fort tristement. Quand on va avoir quatorze ans, on a besoin d'un peu de liberté ; on grandit ; tu vis à la campagne hiver comme été, ce doit être bien ennuyeux !

– Pourquoi donc ? demanda Blanche qui n'aurait jamais su en trouver la raison toute seule.

– Tu demandes pourquoi ? reprit Aline en riant. Mais l'hiver, que deviens-tu ? Personne à voir !

– J'ai toujours maman et ma nourrice.

– C'est ce qu'on appelle personne.

– Vraiment ? Elles sont pourtant bonnes pour moi !

– C'est possible, mais, quand il pleut, tu ne sais comment t'amuser.

– Mais si : j'ai mes livres, mes jeux, mon chat, je m'en amuse encore.

– À ton âge ! dit Aline avec un sourire méprisant.

– À mon âge, oui. Maman dit qu'il faut jouer le plus longtemps possible, parce que le jeu repose de l'étude, et égaye l'esprit.

– Ah ! je t'assure qu'il y a longtemps que nous avons besoin de plaisirs d'un autre genre. L'hiver, à Paris, quand on reçoit, nous sommes au salon, nous voyons les toilettes, c'est très amusant ; mais toi, tu ne vois rien que le pompon du bonnet de ta nourrice ? Est-il jaune et bleu, ou bien couleur de rouille ? »

La plaisanterie fut accueillie par deux éclats de rire. Blanche riait, mais au fond les paroles ironiques de ses cousines la blessaient. Leurs moqueries jetées à pleines mains sur leur institutrice semblaient retomber sur M^{me} Tenassy qui se glorifiait de son double titre de mère-institutrice : le ridicule versé sur la respectable Nanette était aux yeux de Blanche une faute impardonnable, et que bien sûr, malgré son étourderie, elle n'eût pas commise. Comme tous les caractères légers et faibles, elle flottait irrésolue entre l'étonnement que lui causait l'humeur moqueuse de ses cousines, et le plaisir qu'elle ressentait dans une société ennemie de l'assujettissement. Quand les deux sœurs étaient présentes, M<sup>lle</sup> Tenassy subissait leur influence dangereuse, et se promettait de les imiter autant qu'elle le pourrait dans leurs libres allures ; dès que la chère enfant se retrouvait seule ou en compagnie de sa mère, elle revenait à sa bonne nature et à ses excellentes résolutions.

Le mois s'écoulait, on parlait de départ, et, pour s'en consoler d'avance, on s'amusait plus que jamais ; ce n'étaient que plaisirs vifs et bruyants, courses lointaines, danses le soir. Blanche semblait folle de joie, et quelquefois il lui arrivait d'éviter sa mère dont le doux et calme visage lui rappelait une vie plus sérieuse et plus utile. La chère petite avait toujours le cœur aussi bon, mais son esprit était si agité qu'elle ne trouvait plus le moyen de penser, et que le travail et la régularité lui apparaissaient comme deux grosses montagnes à l'horizon. Et la nourrice ? pensait-on à elle ? Pas le temps. Et Madeleine ? Pas le temps.

Cependant il arrivait de loin en loin que Blanche, un peu avant de s'endormir, repassait en son esprit ces deux histoires qui lui avaient été racontées, ce beau trésor de Nanette qui lui avait été montré ; elle sentait alors que les impressions reçues ne pouvaient pas être effacées, puisqu'un peu de solitude les lui rendait : elle se rappelait ses bonnes promesses et les renouvelait dans son cœur, mais le sommeil venait, Blanche dormait comme une petite marmotte, et le lendemain ses cousines faisaient tant de bruit qu'il n'était plus question de penser.

C'est une belle chose assurément que de s'amuser, mais il se mêlait au plaisir de ces jeunes personnes une moquerie continuelle, un manque d'égards pour les personnes âgées, un sans-façon de manières et de langage qui formaient un ensemble fâcheux. Les demoiselles de Saint-Clair n'étaient occupées qu'à découvrir des ridicules aux uns et aux autres ; dans la personne la plus honorable, elles ne voyaient qu'un petit détail de toilette qui n'était pas à leur goût, un mot vieilli qui revenait souvent, un geste singulier, que sais-je ? Les esprits qui s'arrêtent de préférence à des riens sont des esprits fort sots, et c'était précisément le genre des deux sœurs : elles chuchotaient sans cesse, ce qui est impoli ; elles ne trouvaient de plaisir qu'à échapper aux regards de leurs parents ou de leur institutrice, et leur talent principal était de s'habiller, de se déshabiller, et de se rhabiller comme de vraies poupées. Quant à la tête, elle était vide, bien entendu ; le cœur était fort sec, tout le charme consistait en certain babil gracieux et aisé, quelques réparties heureuses, une jolie figure, une belle robe, et voilà tout ! Ah ! pauvres filles ! Quelle misère, n'avoir que cela ! Elles étaient bien dignes de compassion pendant qu'elles se croyaient deux petites personnes charmantes.

## XIII

### Le tocsin.

Pan, pan, pan, pan, pan, pan, pan, pan, pan, pan, pan, pan, pan, pan, pan... c'est le tocsin ! au feu ! au feu ! il est minuit, tout dort, la cloche ne s'arrête pas, elle insiste comme un ordre positif, réitéré mille fois. Les meilleurs dormeurs se réveillent ; dans chaque ménage, c'est la femme qui ouvre sa fenêtre la première. Où est le feu ? c'est la question que chacun se fait en regardant au dehors. Hélas ! la fumée s'élève, et à travers la fumée, des étincelles s'échappent ; c'est la maison de Brigitte qui brûle ! pauvre maison couverte en chaume, si étroite, et pourtant renfermant tout ce que possèdent en ce monde la veuve et ses trois enfants.

Le feu a le pouvoir d'électriser même les indifférents, personne ne résiste à l'appel, on se croirait déshonoré si l'on ne portait secours dans le plus bref délai. Les uns par une raison, les autres par une autre, tous arrivent en un clin d'œil, et les curieux sont souvent les premiers. C'est pourquoi cette nuit-là, pendant que la cloche de la paroisse sonnait, sonnait, comme si elle appelait des sourds, la mère Nicaise, violemment arrachée à ses rêves, s'affubla d'un vieux jupon à ramages bleuâtres sur un fond lie de vin, d'une casaque gros-bleu à fleurs jaunes, et se trouva la première au lieu du désastre dont elle n'était pas d'ailleurs fort éloignée. À la vue du chaume embrasé, des vitres brisées, de la désolation qui s'offrait à elle, la mère Nicaise, toujours possédée de la fureur du bavardage, commença par crier de toutes ses forces : « Eh bien, mère Brigitte, comment donc avez-vous fait pour mettre le feu chez vous ? c'est-y toi, Madeleine ? c'est-y-toi, Jacques, qui as fait ce coup-là ?

– Je ne l'ai pas fait exprès ! s'écria le pauvre petit en sanglotant ; car c'était réellement lui qui, une chandelle à la main, s'était approché trop près d'une botte de paille jetée dans le fournil.

– Ah c'est toi, vaurien ! on te le fera payer, va ! laisse faire ! quand le garde champêtre va venir, tu verras ! tu vas en avoir, va !

– Je ne le ferai plus », dit l'enfant interdit et tremblant. Mais sa grande sœur Madeleine effrayée, malheureuse, empressée, trouva moyen de passer tout près de lui et de dire tout bas :

« Ne crains rien, Jacques, personne ne te battra, tu es assez puni de notre malheur. »

Le petit garçon, bien reconnaissant, jeta sur sa grande sœur un regard confiant, puis, pour réparer comme il pouvait le désastre causé par lui, il alla remplir son petit arrosoir, et vint le verser gravement sur une planche qui s'était détachée d'un tonneau vide et brûlait isolément.

Cependant on voyait accourir de tous côtés les robustes garçons du village, les hommes, les femmes, les filles, les enfants même, car plusieurs s'étaient éveillés et avaient voulu se lever, uniquement pour voir du nouveau. Il y avait un puits à trente pas de la maison ; vite on forme la chaîne, on passe et repasse des seaux qui malheureusement, arrosent les pieds des défenseurs avant d'éteindre le feu. « Faites donc attention, la mère, vous me jetez de l'eau dans mes souliers !

– Ah ! dame, c'est trop lourd.

– Gare donc ! vous allez jeter le seau par terre.

– Il y est ! bel ouvrage, ma foi ! »

Ces scènes de maladresse mêlée à beaucoup de bonne volonté excitaient des plaisanteries, car le peuple français trouve moyen de rire partout, de peur de s'ennuyer, ce qui ne l'empêche pas d'être dévoué tout comme un autre. Pendant qu'on travaillait ainsi tant bien que mal, et que d'autre part des hommes courageux et intelligents arrachaient aux flammes tout ce qu'ils espéraient conserver à la veuve, on vit venir, clopin, clopant, M^{me} Nanette dont le cœur allait vite, et les pieds doucement ; le mal de son prochain la touchait vivement, et dans ce cas surtout, parce que cette famille

Le tocsin.

si pauvre et si honorable avait été tout dernièrement l'objet des soins de M^me Tenassy, et que Blanche avait aimé Madeleine, pas longtemps peut-être, mais bien fort.

Quand elle arriva devant la chaumière, elle ne se mit point à faire la chaîne, ses forces ne le lui permettaient pas, et, d'ailleurs, elle savait un moyen d'être plus utile à Brigitte. Il fallait la trouver au milieu du tumulte, lui parler de ses enfants, lui rendre bonne espérance afin que sa convalescence ne fût pas sérieusement troublée : elle la vit et marcha vers elle.

« Ce n'est rien que ça, mère Brigitte, dit-elle avec son air tranquille, je vous dis, moi, que tout s'arrangera pour le mieux : le chaume, voyez-vous ça ne vaut rien, il vous faut de la tuile.

– Hélas ! répondit la veuve, dont les bras affaiblis refusaient le travail ; hélas ! madame Nanette, à moins que le bon Dieu ne recouvre lui-même ma maison, c'est fini !

– Laissez faire, quand il s'y met, il va vite à l'ouvrage, il a un fier talent !

– Ah ! certes, ce n'est pas moi qui douterai de sa providence !

– Voyons, donnez-moi votre petit André, que je le fasse dormir chez nous : où est-il ?

– Il est là, dans son berceau que j'ai sorti le premier avec l'aide de Madeleine, il ne s'est pas réveillé. »

Nanette vit André dormant de tout son cœur entre la brouette et le tas de fumier ; ses vieilles pensées de nourrice lui revinrent tout à coup, elle prit l'enfant si adroitement qu'il ne s'éveilla point, et, l'ayant couvert d'un pan de son châle, elle offrit la main à Jacques en disant : « Veux-tu venir avec moi faire dodo ?

– Non, dit l'enfant avec une candeur pleine de tristesse, c'est moi qui ai mis le feu, il faut que je l'éteigne. Et il alla de nouveau remplir son petit arrosoir.

– Laissez-le, dit la mère, il vaut mieux qu'il voie de près notre misère afin de devenir prudent.

– C'est donc toi qui as mis le feu à la maison ? dit sans aigreur la nourrice ; une autre fois, il ne faudra plus faire ça, mon garçon. »

Elle donna une tape en signe d'amitié au pauvre Jacques qui allait et venait, toujours avec son arrosoir, et cria à Madeleine qui aidait les travailleurs : « Allons, courage, brave enfant, n'ayez pas peur, il y a toujours plus de bruit que de mal ; demain matin, on se reverra.

– Merci, madame Nanette, dit tristement Madeleine. Ah ! mon Dieu, faut-il avoir du malheur !

– Pas tant que vous le pensez, ma petite ; il y a du remède à tout, laissez faire. »

Après avoir ainsi encouragé chacun, Nanette retourna au château, remonta dans sa chambre, et coucha André au pied de son lit, toujours sans l'éveiller. L'excellente femme fut bien longtemps à se rendormir, tant elle était préoccupée du cher poupon et de la détresse d'une famille si intéressante et si laborieuse.

En effet, le malheur était grand, comme le disait Madeleine : malgré les efforts des habitants de Sainte-Foy, on n'avait pu sauver que fort peu de chose : la mercerie était complètement brûlée, le peu qui restait ne pouvait se vendre qu'au rabais, car la fumée avait tout gâté. Quant à la petite fruiterie, les gradins de bois blanc qui donnaient à l'étalage un si joli aspect avaient brûlé comme des allumettes, et l'on voyait dans le ruisseau des haricots, des oignons, de la salade, toutes les richesses de Madeleine ! Les vêtements de la famille, suspendus à de gros clous avaient été à demi consumés, les matelas jetés à la hâte au dehors étaient tachés de boue et pleins d'humidité ; les gros murs seuls avaient résisté ; plus de toiture, plus de boiserie, plus de meubles, à l'exception des vieilles chaises, et du grand buffet de noyer que Brigitte avait acheté avec tant de peine la première année de ses noces, mais la jolie vaisselle qui parait les rayons avait été cassée dans l'empressement causé par le danger ; ces belles tasses, ces grands plats, dont on ne se servait jamais, étaient chers au cœur de la veuve, c'était l'héritage de sa mère. Il fallait renoncer à ces joies intimes que le pauvre apprécie davantage parce qu'il en a peu, joies dont le bon cœur du riche ne peut pas rendre la valeur. Hier, Brigitte était pauvre, aujourd'hui elle est misérable, et elle mesure avec une sorte de désespoir la distance qui s'est faite entre sa gêne passée et son dénuement actuel.

La mère Nicaise qui avait fait bien plus de discours que de besogne, offrit à la voisine de venir s'abriter chez elle ; mais Brigitte, qui n'aimait point ce cœur sec et cet esprit aigri, refusa poliment et préféra se blottir dans un coin de son fournil, le seul qui restât

Le tocsin.

couvert. Jacques, tout confus, et bien malheureux, quoique sa mère ne l'eût certainement pas battu, se coucha à ses pieds, appuya sa tête sur ses genoux et dormit, car la fatigue, la peur et le chagrin l'avaient accablé. Madeleine, brisée d'un travail au-dessus de ses forces et d'une extrême inquiétude, dormit aussi, mais la mère ne dormit point, elle repassa dans sa mémoire les détails confus de la scène nocturne, et pleura douloureusement, c'était le dernier coup qui l'avait écrasée. Toutefois, pendant qu'elle pleurait, son âme n'était pas sans espérance comme sont les âmes des impies : elle se souvenait de la Providence qui passe toujours où le malheur vient de passer, ses larmes coulaient sans offenser la bonté de Dieu parce qu'il y avait encore de la résignation dans sa douleur.

Tout à coup, on entend le fouet d'un postillon à l'entrée du village : c'est M^{me} Tenassy qui revient avec M^{lle} Blanche. Brigitte sait que la voiture doit passer devant sa chaumière en ruines, elle se lève et ne craint plus de montrer sa misère que l'événement a rendue publique. D'ailleurs elle est mère, une autre mère va venir, il faut lui dire que ses enfants n'ont plus ni toit, ni pain, ni vêtements. La voiture approche : à la vue du désastre, le postillon, tout fier qu'il est, cesse de faire claquer son fouet ; on s'arrête, les voyageuses descendent, et la grande dame, à ce premier saisissement, ne trouve pas un mot qui soit assez compatissant pour le dire à Brigitte, elle la serre dans ses bras, l'embrasse, et, par instinct de mère, lui fait ces trois questions : « Et Madeleine ?... Et Jacques ?... Et André ?...

– Ils n'ont pas de mal, heureusement, répondit-elle tout attendrie ; André dort chez vous, madame, c'est votre nourrice qui l'a emporté cette nuit pendant que tout brûlait chez nous. »

Les deux mères ayant dit ce qui leur importait le plus, on parla peu, mais tout était compris. Le regard de Brigitte demeurait attaché au regard de M^{me} Tenassy, dont la physionomie bouleversée disait assez la surprise et la tristesse. Les malheureux ne sentent plus de honte quand c'est du fond du cœur qu'on vient à leur secours ; ce qui humilie, c'est de voir que le riche fait une bonne œuvre. Sur un signe positif de sa bienfaitrice, Brigitte osa bien monter dans la voiture avec ses deux enfants ; on glissa entre les caisses de voyage tous les menus objets qui se trouvaient sous la main, puis on se rendit au château pendant que Blanche, électrisée par ce qu'elle venait de voir, faisait à Madeleine cent questions enfantines pleines de bonté et d'affection. Oh ! que les demoiselles de Saint-Clair étaient loin ! Elles n'avaient parlé qu'à l'esprit et aux yeux ; ici tout parlait au cœur. Blanche voulut tout savoir, et chaque réponse la faisait pleurer ; il fut grandement question de l'heure où le feu avait pris, de la manière dont il avait été mis, des seaux d'eau, du bruit, des ténèbres, et de ces mille accessoires du malheur qui frappent les jeunes têtes autant que le malheur lui-même. Madeleine, déjà sérieuse par caractère, semblait avoir grandi en une nuit ; sa raison avait mûri. Elle était grave, calme, prête à tout : Blanche l'admirait ; en causant avec elle, elle apprenait à apprécier les dons de Dieu, et à se trouver heureuse.

La voiture s'arrêta ; M^{me} Tenassy, après avoir amicalement salué ses gens et embrassé sa nourrice, installa la pauvre famille dans une chambre du rez-de-chaussée, lui donna tout ce qui manquait dans le présent et lui jeta à pleines mains l'espérance, qui est la meilleure consolation dans les grandes peines de la vie.

## XIV
*La correspondance.*

Il y avait près de trois mois que le feu avait pris à la maison de Brigitte. Blanche, assise à côté de sa mère, travaillait avec bonne volonté et persévérance ; elle confectionnait sous les yeux de M^{me} Tenassy quelques petits ouvrages de lingerie. Une tendre sympathie régnait entre ces deux ouvrières élégantes. De temps en temps, un sourire maternel encourageait la petite lingère.

« Quel bonheur, s'écria-t-elle tout à coup, voilà mon col terminé, je vais le joindre à mes manchettes de mousseline, et, si vous le permettez, chère maman, j'irai ce soir avec Nanette porter l'ouvrage de ma semaine à Madeleine.

– Oui, tu iras, ma bonne fille, répondit M^{me} Tenassy avec tendresse, tu as bien mérité ce plaisir. Je suis contente de toi, contente de plus en plus, je vois les efforts que tu fais sur toi-même, j'en suis bien touchée. »

Blanche, heureuse et fière, laissa tomber son ouvrage sur ses genoux et se rapprocha de sa mère qui l'embrassa avec une émotion inaccoutumée.

« Vous êtes donc bien contente de moi ? demanda-t-elle de ce ton tranquille que donne la paix d'une bonne conscience.

– Très contente, mon enfant, et c'est pour te le prouver que je te mets à même de faire du bien ; or, sache-le, il n'y a pas sur terre de plus douce récompense que celle-là. J'aurais pu me borner à relever le toit de la pauvre Brigitte, à lui rendre la possibilité de gagner humblement sa vie, après lui avoir donné chez moi l'hospitalité dans les premiers temps ; je crois qu'en agissant ainsi, j'eusse satisfait à mes devoirs de chrétienne et de principale propriétaire du pays, mais j'ai voulu faire plus, et le faire par tes mains. Tu vois cette famille intéressante reconquérir, tout en échappant à l'humiliation, une petite aisance qui doit augmenter à mesure que les enfants grandiront ; tu vois Madeleine continuer avec succès son double commerce, entrepris sur une petite échelle, mais produisant déjà le nécessaire dans un ménage : tu jouis du privilège le plus grand que le ciel nous ait accordé, à nous, riches de la terre, le privilège de relever ce qui était tombé, d'encourager le malheur, d'assurer l'espérance, de réparer le mal.

– Oh ! oui, chère maman, je jouis beaucoup. Jamais, jamais, je n'aurais cru m'amuser autant en faisant du bien et m'occupant des autres.

– Je te l'avais dit pourtant ; plus on sort de soi-même, plus on est joyeux intérieurement ; mais il y a une chose que je ne t'ai pas dite encore.

– Quoi donc ? maman. Oh ! vite ! vite !

– Non pas, non pas, c'est une surprise, et je veux qu'elle soit complète : travaille bien toute la journée, sois bonne, obligeante, aimable, et ce soir, au coucher du soleil, tu sauras mon secret.

– Ce sera donc une grande joie, maman ?

– Très grande, parce qu'elle sera partagée.

– Qu'est-ce que cela peut être ? Voyons. »

Et Blanche cassa sa petite tête pour découvrir le mystère... Impossible. On se remit à causer tranquillement, car Blanche était devenue une société pour sa mère. Elle causait volontiers, tantôt avec sa maman, tantôt avec sa nourrice : toutes deux avaient versé bien des larmes sur elle, mais ces larmes avaient mérité d'être bénies. Blanche avait reconnu, comme font les âmes droites, que la réforme de soi-même est l'ouvrage de tous les jours, qu'il ne faut y apporter ni orgueil ni empressement ; elle avait essayé de bien faire pendant un jour, un seul jour à la fois, et, ne s'appuyant plus sur ses propres forces, elle était devenue pieuse, soumise et patiente. Quelques personnes trouvaient M^{me} Tenassy moins pâle, c'est qu'elle était plus heureuse parce que sa fille était meilleure.

Pendant que la mère et l'enfant travaillaient, comme nous l'avons vu, arriva une lettre de Stéphanie. Il avait été convenu qu'on s'écrirait, mais la paresse avait retardé la réalisation des promesses, et Blanche n'avait pas perdu beaucoup ; c'était une chose si puérile qu'une lettre de Stéphanie ou de sa sœur. En voici un échantillon :

« Ma chère Blanche,

« Que fais-tu ? que dis-tu ? t'amuses-tu ? j'espère que oui. Que n'es-tu encore avec nous ! plus on est de fous, plus on rit. Nous mènerions ici une vie fort agréable si nous n'avions, pour nous ennuyer du matin au soir, M^{lle} Duval. Elle a la bonté de se préoccuper de notre avenir, beaucoup plus qu'on ne le lui demande ; elle nous répète que nous ferons des femmes nulles, malgré nos belles toilettes et nos voitures, si nous ne voulons pas cultiver notre intelligence ; en un mot, elle nous est de plus en plus insupportable, et nous voudrions la voir à cent lieues. Malheureusement, que ce soit elle ou une autre, il faudra endurer quelques années encore ce mal nécessaire, comme dit une de nos amies intimes qui vient d'être débarrassée de la sienne.

« Pour parler de choses moins ennuyeuses que M^{lle} Duval, je te dirai que nous avons des robes de soie neuves, fond bleu de ciel, couvert de boutons de roses jetés comme au hasard et d'un effet délicieux ; nous les avons mises hier pour la première fois, elles vont très bien ; nous avions des ceintures à longs bouts assorties à la robe, tous les accessoires étaient de bon goût. Nous ne voulons plus décidément porter que de la soie, il faut laisser la laine aux petites gens.

« Tu penses à nous quelquefois, je l'espère, tu n'as pas oublié les plaisirs que nous avons goûtés ensemble ; nous te regrettons plus

La correspondance.

que jamais car il y a en ce moment des visites au château, deux familles très gaies, point de personnes âgées, par conséquent pas d'égards, de soins, de complaisances, de tout ce qui nous ennuie enfin. Trêve de leçons, malgré la figure attrapée de M^{lle} Duval dont le nez s'est allongé d'un demi-centimètre. Nous allons rire, faire des folies, nous reposer la tête ! elle est si fatiguée, cette pauvre tête ! Quand on est jeune, il faut en profiter ; je déteste l'assujettissement, la dépendance, l'application : vive la liberté ! À notre âge, il faut s'amuser, le reste est une perte de temps. Adieu, écris-nous, et parle-nous de tes plaisirs, j'espère que tu en as quelques-uns ; si ce n'était, tu serais bien à plaindre ! Nous t'embrassons.

« Ta cousine, STÉPHANIE. »

Blanche, après avoir lu cette lettre si pleine de mots, si vide de pensées, demeura interdite ; elle ne savait que dire.

« Eh bien, chère petite, demanda sa mère, comment trouves-tu cette lettre ?

– Je ne la trouve pas trop spirituelle, maman.

– Ne voudrais-tu pas être à la place de tes cousines ?

– La mienne est bonne, dit l'enfant avec une finesse charmante, je la garde.

– Ne te crois-tu pas malheureuse parce que tu travailles régulièrement et sans murmure, parce que tu ne te moques plus de personne, et parce que tes plaisirs ne sont pas des plaisirs vifs ?

– Bonne mère, depuis trois mois que je me conduis bien, je suis plus heureuse cent fois que mes cousines. Quand elles ont fini de rire et de se moquer de tout le monde, il n'en reste rien ; et moi, quand je me couche, je repasse ma journée dans ma mémoire, et je trouve que je suis chaque jour moins ignorante que la veille, et que d'autres ont profité de mes meilleurs plaisirs. Mon jardin que je cultive me donne quantité de fleurs et de fruits ; mes poules, ma couvée... Tenez, maman, je ne finirais pas si je voulais compter.

– Que vas-tu répondre à Stéphanie ?

– Rien. Que dire ?

– Eh bien, elle te demande de lui raconter tes plaisirs, fais-le tout simplement.

– Oh non, elle se moquerait de moi et sa sœur aussi. Mon genre de vie est si différent du leur, depuis trois mois surtout. C'est singulier, je m'amusais pourtant bien avec elles, mais c'était bon en passant ; mon bonheur, dans ce temps-là, c'était de l'étourderie, de l'entrain, un grain de folie, comme vous disiez sans vous fâcher, belle maman, qui ne vous fâchez jamais, excepté quand je suis méchante. »

Cette gentillesse valut à l'enfant un baiser ; sa mère était si heureuse depuis trois mois en voyant l'esprit et le cœur de Blanche se former, s'élever.

« Décidément, dit la jeune fille avec résolution, vous avez raison comme à l'ordinaire, je vais répondre, et tout de suite. Si elles se moquent de moi, ce sera un petit malheur. »

Et elle se mit à sa table d'étude, prit une belle feuille de papier dans une jolie papeterie, dernier cadeau de sa mère, et commença :

« Ma chère Stéphanie,

« Toi, tu t'amuses, Aline aussi, et moi aussi, par conséquent tout le monde est content. Que l'on joue à un jeu ou à un autre, c'est bien égal, pourvu que le jeu plaise.

« Comme on m'élève toute seule, et que nous vivons presque toute l'année à la campagne, je ne puis avoir les mêmes plaisirs que vous, j'en ai d'autres, faits tout exprès pour moi par maman et par Nanette. Je vous ai dit que je pleurais souvent à cause des Romains et des Grecs ; des *qui* et des *que*, des 4 et des 6. Eh bien, je ne pleure plus. J'ai fait connaissance avec tout ce monde, qui est moins noir de près que de loin ; j'avance dans mes études ; c'est au point que maman n'en revient pas ! Elle m'a donné des récompenses charmantes, entre autres, tout dernièrement, une papeterie délicieuse contenant une quantité de cahiers de papier à mon chiffre. Je vous disais que je manquais de mémoire et qu'il m'était impossible d'apprendre par cœur ; je m'étais trompée, elle était cachée dans un petit coin de ma tête, cette pauvre mémoire, elle boudait parce que je n'avais pas l'air de me soucier d'elle. À présent, quand je commence à étudier, je lui fais signe, elle arrive, lit avec moi ma leçon trois fois et très attentivement, et puis, quand je ferme les yeux, elle répète tout ce que nous avons lu ; c'est une

La correspondance.

gentille petite fée, qui ne demande pas mieux que de travailler avec nous, mais qui exige qu'on l'invite poliment à prendre place. Depuis que nous étudions ensemble, rien ne m'ennuie. Tu dois avoir, et ta sœur aussi, une petite fée chez toi, cherche bien.

« Entre mes leçons j'ai des récréations qui me charment ; je sors de temps en temps avec maman ou avec Nanette, mais quand c'est Nanette qui m'accompagne, nous n'allons pas loin à cause de ses pauvres jambes qui ont tant marché qu'elles en sont roides. Nous nous bornons à aller au village en sortant par le parc. Que faire au village, diras-tu ? Toutes sortes de choses amusantes : porter ceci, porter cela, de la part de maman ; quelquefois, c'est chez un vieillard malade, d'autres fois, chez un ouvrier blessé. Quand j'arrive, apportant ce qui manque, tout me rit, c'est comme quand le soleil arrive dans mon jardin. Maman dit que donner est le plus beau privilège de ceux qui sont au-dessus de la foule par leur fortune. On a beaucoup, d'autres n'ont pas assez, on leur vient en aide, et l'on est aussi content qu'ils le sont.

« Et puis, tu ne sais pas ? ma chère, j'ai une amie au village, une vraie. Je ne veux pas dire qu'elle a de belles robes et qu'elle vient s'asseoir au salon ; non, je veux dire qu'elle pense à moi quand je ne suis pas là, et que, si je mourais, elle aurait de la peine. C'est bien une amie, va ! Celle-là n'est pas pour le monde, c'est pour le fond du cœur. Madeleine me ressemble par son âge et sa taille ; la différence, c'est qu'elle a toujours été bonne, et que Dieu, en l'envoyant dans ce monde, n'a pas mis une grosse bourse à côté d'elle comme il l'a fait pour moi. Elle est née dans sa chaumière, bien reçue de tous, mais pauvre, très pauvre. Son père est mort, sa mère est toujours malade, ses frères sont tout petits, c'est elle seule qui peut aider sa famille, et elle le fait. Maman a commencé par donner le nécessaire, qui manquait, le croirais-tu ? Puis elle a facilité un petit commerce. Après bien des efforts et quelques succès, voilà que le feu a pris à la maison, et qu'on ne savait pas seulement où dormir ! C'est sous le toit de maman qu'ils ont dormi, ces pauvres gens. Quand le chaume de Brigitte a été remplacé, selon l'ordre de ma bonne mère, par une solide couverture en tuiles, il a été convenu, c'est là le plus beau de l'histoire, il a été convenu que, une fois les premières avances faites pour tirer tout ce monde de la plus affreuse misère, Madeleine me serait absolument confiée pour que je la rende plus ou moins heureuse, selon que je serais plus ou moins sage. Comprends-tu ? Si je travaille avec courage, si j'obéis avec amour, Madeleine s'en ressent ; j'ai la permission de mettre à son service les petits-trésors dont on m'a donné la propriété.

« Ainsi j'ai un jardin à moi ; eh bien, depuis trois mois une partie de mes récréations se passe à faire la jardinière ; rien de plus amusant quand on s'y met pour tout de bon ! J'arrose, je sarcle, je bine, je fais mes récoltes, et j'ai la joie de porter mes légumes et mes fruits chez Madeleine qui les vend, et achète, avec l'argent qu'elle en retire, du pain pour sa mère, pour elle, pour Jacques et pour André. Si tu savais quel vif plaisir se mêle à mes travaux champêtres ! j'en suis arrivée à ne plus me fâcher contre la pluie ; cette pauvre pluie, elle est si bonne pour mes chers légumes ! Nous lui sommes tous reconnaissants. À présent, vois-tu, un poireau me charme pour peu qu'il grossisse, une carotte me plaît, un chou plus beau que le commun des choux me fait tomber en extase. C'est maintenant que je jouis de la propriété.

« Encore autre chose : j'ai à moi deux jolies poules qui ont fait chacune une belle couvée, sous la direction de Nanette qui s'y entend si bien ! Nous soignons les poussins, nous encourageons les mères, et nos affaires vont à merveille ; c'est au point qu'à la fin de l'automne, si je me conduis bien, – c'est toujours la condition, – Madeleine aura dans son étalage une vingtaine de beaux poulets bien blancs, bien gras, bien tendres, qu'elle vendra parfaitement. Vingt poulets ! Sais-tu bien que c'est magnifique !

« J'ai oublié de te dire que Madeleine tient aussi un peu de lingerie. Maman me permet d'acheter ce qu'il faut pour faire des ouvrages faciles qui m'apprennent à coudre et se vendent à bon marché par les mains de Madeleine. Coudre m'avait toujours ennuyée, aujourd'hui cela ne m'ennuie plus. Maman a bien raison de dire que le meilleur des plaisirs est de s'amuser à faire du bien.

« Le temps passe très vite entre mes devoirs, mes jeux, mes promenades, mes poulets, mes fleurs, et, quand je me couche, je suis tout étonnée d'avoir été levée si peu de temps. Va, tu peux te réjouir avec moi, je ne suis pas à plaindre, et, s'il y a encore des jours ennuyeux, c'est que, ces jours-là, je ne sais pas m'y prendre.

« Adieu, ma chère Stéphanie, je t'embrasse de tout mon cœur,

La correspondance.

ainsi qu'Aline.

« Ta cousine,

« BLANCHE. »

## XV

*La surprise.*

Un soir d'été, la mère Brigitte, toujours pâle et un peu affaiblie, était assise devant sa porte, mangeant une grande assiettée de soupe à l'oignon dans laquelle puisaient sans façon Jacques et le gros André, à la mine joufflue et riante. Ces trois têtes encadrées dans les feuilles d'un poirier qui tapissait la maison faisaient un effet charmant ; si ce n'était pas l'image du bonheur, c'était du moins l'image de la paix. On dormait tranquille chez Brigitte, à l'abri du besoin, vivant de peu, mais ayant le pain quotidien, les vêtements pour chaque saison et une provision de bois pour l'hiver. Les pauvres gens bornent facilement leurs désirs et se livrent volontiers à l'espérance. La mère de famille regardait ses fils avec ce sentiment de bien-être qui est aux yeux de Dieu un remerciement. Elle ne regrettait plus d'avoir mis au monde ces chères créatures qui, demandant tous les jours leur petite part des biens de la terre, la trouvaient tous les jours.

Quand on eut fini de manger la soupe, Madeleine parut au seuil de la maison ; elle avait mis en ordre les ustensiles de ménage, et fait ce qu'on pourrait appeler la toilette de nuit ; les couvrepieds, seule parure de l'intérieur, étaient soigneusement pliés et posés sur une chaise, les articles de mercerie et de lingerie exposés tout le jour avaient trouvé un refuge et un abri contre la poussière dans la grande armoire, les légumes et les fruits se rafraîchissaient à la cave, elle avait pensé à tout, la bonne fille, et en ce moment elle venait dire à sa mère :

« La soirée est bien belle ; si tu voulais, mère, nous ferions la prière du soir ici, sous le ciel qui n'a pas un nuage.

– Je le veux bien », dit Brigitte, et, faisant agenouiller les petits garçons, l'un à sa droite, l'autre à sa gauche, elle s'agenouilla aussi, et Madeleine fit le signe de la croix.

« Ma pelle ! ma pelle ! » dit joyeusement le gros André qui trouvait toujours la prière trop longue, et se précautionnait d'un instrument commode pour faire deux ou trois pâtés de terre détrempée. On lui donna sa pelle, il la posa près de lui, joignit bien sérieusement les mains, regarda le ciel qu'il appelait la maison du bon Dieu, et écouta la voix de sa grande sœur qui s'élevait dans le silence, parlant au bon Jésus, à la Vierge et aux Saints ; elle ne remuait pas, et ses yeux, errant dans l'espace, n'y trouvaient que des sujets d'élever son âme. Un peu de bonheur avait développé en Madeleine ce germe de sensibilité confiante qu'elle tenait de sa nature expansive : elle aimait à remercier, et sa prière était moins une demande qu'une bénédiction.

On était près de finir : André, assis par terre, jouait naïvement sous le regard des anges, et son jeu n'ôtait rien à la solennité du devoir qui s'accomplissait... des pas se firent entendre, la voix de Madeleine hésita ; elle ne se sentait plus en famille et devant Dieu seul ; elle écoutait ces pas : les uns étaient lourds, les autres légers, et d'autres encore si petits, si pressés, que pas une créature humaine ne les eût imités. Un souvenir dur et navrant passa sur le cœur de la jeune fille. Tout en priant à haute voix, elle pensa... « Ses petits pas étaient pareils, comme il était doux et blanc, et joli, comme nous nous aimions ! » Mais la pieuse enfant, levant les yeux au ciel, revit la Majesté de Dieu et se remit bien doucement à ne penser qu'à lui. En terminant elle dit, comme on le faisait chaque soir, un *Ave Maria* pour les dames du château. À peine était-il achevé que les petits pas pressés s'approchèrent, mais tout seuls ; les autres ne suivaient point : c'était comme l'apparition d'un ami solitaire qui vient redemander les baisers d'autrefois. Madeleine se retourne.

« Mon Dieu, dit-elle, c'est lui ! »

C'était lui, en effet, lui, le cher Loulou, grandi et grossi. André jeta sa pelle et courut vers l'agneau, Jacques lui prit la tête dans ses mains, et Madeleine le baisa deux fois avec une joie attendrie ; mais la mère ne comprenait rien à cette scène. Elle voyait bien Loulou très embelli, portant au cou un frais collier de réséda et de verveine ; mais comment éclaircir ce mystère ? L'agneau n'avait-il pas été vendu au boucher, payé, tué, mangé ?... On l'avait cru ; mais le cœur d'une autre mère avait compati à la peine de Brigitte, aux larmes d'une enfant bien soumise.

La surprise.

Blanche, qui s'était cachée avec Nanette derrière une meule de blé pour laisser Loulou arriver tout seul, parut enfin, ce qui expliqua tout. Elle était si contente qu'elle pouvait à peine parler ; il est vrai qu'on lui faisait cent questions à la fois, et qu'elle ne savait par quelle réponse commencer.

« Voici deux chaises, dit Brigitte, asseyez-vous, mademoiselle Blanche, et vous aussi, madame Nanette, et dites-nous, s'il vous plaît, d'où vient Loulou, et comment il se fait que Madeleine le retrouve. Elle en pleure, la pauvre enfant !

– C'est peut-être, dit Jacques, parce qu'il était trop joli, et que le boucher n'a pas eu le courage de le tuer !

– Ah ! pour ça, dit Nanette, il n'y regarde pas de si près ; beau ou laid, c'est toujours pour lui gigots et côtelettes.

– Mademoiselle Blanche, je vous en prie, demanda Madeleine, racontez-nous l'histoire de Loulou. Et en même temps la jeune villageoise appuyait sa main sur la tête de l'agneau comme pour s'assurer de sa douce présence.

– Voilà l'histoire, dit Blanche. J'ai une maman qui est bonne, bonne plus que jamais on ne pourrait le croire. Un jour, j'ai pleuré, Madeleine, parce que vous pleuriez.

– En vérité ?

– Oui. C'était dans la plaine, au bord du chemin ; vous vous étiez assise tout en menant Loulou chez le boucher, et là, vous lui disiez adieu, le cœur gros, bien gros !

– Je m'en souviens, dit Madeleine en soupirant encore.

– J'ai désiré vivement sauver la vie de cet agneau, à cause de vous qui l'aimiez, je l'ai demandé à maman ; mais, comme je n'étais ni laborieuse, ni obéissante, ni aimable, maman m'a répondu que je n'étais pas digne de vous causer une aussi grande joie, Madeleine... et c'était bien vrai. Ce que j'éprouve aujourd'hui, il faut l'avoir mérité, c'est trop doux ! Cependant, ma bonne mère, en grand secret, n'ayant pour confidente que la nourrice qui sait tout, a fait tout de suite racheter l'agneau, et l'a mis pour quelques mois chez notre fermier. Pendant qu'il grandissait, moi aussi j'ai grandi, j'ai réfléchi, j'ai voulu obéir, j'ai essayé, maman s'est contentée de mes efforts, et ce soir elle m'a dit : – Puisque tu t'es surmontée toi-même, je veux te donner une grande preuve de ma satisfaction. Va, mon enfant, va porter du bonheur à Madeleine ! En même temps, elle m'a pris la main, m'a conduite sur la pelouse, et j'ai vu devant moi votre Loulou paré de sa laine bien blanche et de ce collier de fleurs que maman elle-même a fait pour lui. »

Blanche avait fini l'histoire de Loulou, et Madeleine reconnaissante baisait, tantôt la main de la jeune fille, tantôt la tête de l'agneau. Brigitte était muette aussi d'attendrissement ; une larme brilla dans ses yeux, la pauvre mère sentait bien plus qu'elle ne pouvait exprimer ; cette délicatesse d'une femme riche et heureuse la touchait jusqu'au fond du cœur.

Les enfants se mirent à courir avec l'agneau, et comme la nourrice osait dire qu'il ne reconnaissait pas sa petite maîtresse, Madeleine s'écria naïvement :

« C'est impossible ! moi, je vous assure qu'il ne m'a pas oubliée ; quand on s'est aimé une fois, on doit s'aimer toujours. »

Blanche applaudit et découvrit, en cherchant bien, que Loulou avait l'air sans cérémonie de quelqu'un qui rentre chez soi. Mais comme on ne distinguait plus que vaguement les peupliers dans l'ombre, elle se leva, et en partant redit tout bas les paroles de Madeleine :

« Quand on s'est aimé une fois, on doit s'aimer toujours ! »

## XVI

*Franchise et courage.*

On entrait dans l'automne, l'aspect de la campagne était varié : ici, un arbre vert ; là, un autre dépouillé de tout ornement ; à côté une masse de tons jaunes, bruns, dorés ; partout sous les pas des promeneurs, le cri des feuilles mortes qui couvrent la terre à cette époque.

Dans la plus longue allée du parc de Sainte-Foy, trois jeunes filles marchaient, se donnant le bras et causant avec animation. C'étaient Blanche, Aline et Stéphanie. Oui. les demoiselles de Saint-Clair vivaient passagèrement sous le toit de Blanche. Leur mère avait été obligée d'entreprendre un long voyage, et, comme elle appréciait à

leur juste valeur la sagesse et la prudence de M^me Tenassy, elle l'avait
suppliée de vouloir bien se charger de ses filles. Un pareil service
ne pouvait se refuser, on n'y consentit pourtant qu'à la condition
de recevoir aussi l'institutrice des deux sœurs. Tout étant réglé, M^lle
Duval amena ses élèves et, selon les conventions faites, alla d'abord
passer une quinzaine de jours dans sa famille pour revenir ensuite
prendre le gouvernement de ces petites têtes sans cervelle.

L'arrivée au château fut joyeuse ; c'était nouveau, ce qui est
toujours un charme ; puis en vérité le bon ordre qui régnait chez
M^me Tenassy, le calme, la régularité, la bonne entente des habitants,
maîtres et domestiques, tout réjouissait les yeux et l'âme, parce
qu'on sentait que tout était à sa place.

Les têtes légères perdent beaucoup de leur assurance quand elles
ne peuvent plus dominer, c'est pourquoi dès le premier jour les
demoiselles de Saint-Clair se montrèrent moins folles, moins
moqueuses qu'elles ne l'étaient chez elles. Elles allaient, venaient,
remarquaient, s'intéressaient à tout, et recevaient des impressions
nouvelles.

L'institutrice partit : on lui dit adieu, mais les deux sœurs ne s'y
prirent pas de la même façon : l'adieu de Stéphanie voulait dire :
– Bon voyage ! Revenez le plus tard possible. – Celui d'Aline
signifiait : – Soyez heureuse en famille ; quand vous reviendrez, je
tâcherai de mieux faire.

C'était la première fois que M^lle Duval ne sentait pas son cœur à
l'étroit dans ses rapports intimes avec son élève ; elle avait toujours
pensé d'ailleurs qu'Aline l'aimait au fond, et que le bon exemple
aurait sur elle une influence salutaire.

Les quinze jours de vacances furent donnés aux plaisirs, mais à
des plaisirs dont la joie et le naturel faisaient tous les frais. On riait
de bon cœur, on se faisait des jeux de mille choses qui eussent
passé pour corvées chez les demoiselles de Saint-Clair, élevées
dans une oisiveté molle et une fierté dédaigneuse. Elles apprirent
à aimer la campagne pour elle-même, et non pour les plaisirs des
villes qu'on y introduit. Aline était particulièrement frappée des
jouissances réelles qu'elle avait toujours eues sous la main sans
s'en rendre compte et sans en profiter ; elle s'était accoutumée à
fermer les yeux devant les surprises que la nature nous fait à

chaque instant. Blanche par sa naïveté lui montra comment on jouit d'une rose qui s'ouvre, d'un chant d'oiseau sous le feuillage, et de ces accidents si variés qui à toute heure attendent le regard de celui qui veut bien regarder. Il y avait au fond du cœur d'Aline une vraie sympathie pour Blanche, et, si elle affectait encore parfois des airs de princesse, comme disait Nanette, c'était un peu par respect humain ; elle se croyait trop élégante et de trop bonne maison pour s'intéresser à un chou, à une oie, à un lapin. Peu à peu ses idées changèrent en voyant M<sup>me</sup> Tenassy, qui certes n'avait rien de vulgaire, ni dans l'esprit ni dans la tenue, parcourir tous les matins les allées du potager, surveiller les fruits, les cueillir elle-même, les ranger au fruitier, visiter l'écurie, l'étable, la laiterie, ne trouver ni un lieu ni une chose au-dessous de sa dignité de maîtresse de maison. Aline se plaisait à suivre M<sup>me</sup> Tenassy qui l'accueillait très volontiers, sûre de lui faire du bien.

Un jour, la jeune fille, se trouvant seule avec elle, osa lui parler sans détours du changement qui se faisait en son âme. La plus grande bonté encouragea cette ouverture, on causa longuement, beaucoup de choses furent dites de l'abondance du cœur. Aline avoua que ses idées prenaient une direction nouvelle, qu'elle se proposait de mieux travailler et d'être plus docile quand son institutrice reviendrait.

« C'est très bien, chère enfant, dit M<sup>me</sup> Tenassy en terminant, je suis heureuse, très heureuse, de la transformation qui s'opère en vous, mais si j'étais à votre place, je voudrais aujourd'hui même écrire à M<sup>lle</sup> Duval et lui déclarer tout simplement ce qui se passe en moi ; ce serait adoucir ses peines qui sont grandes, croyez-le, ma bonne Aline, et ce serait en même temps la préparer à plus d'indulgence, car rien n'attendrit comme la bonne volonté exprimée par le cœur.

– Je suivrai votre conseil, madame, dit Aline, et après le déjeuner, je me mettrai à écrire, mais seulement.

– Seulement ? qu'y a-t-il ?

– Stéphanie va se moquer de moi !

– C'est probable, et c'est là le premier obstacle qu'il faut surmonter si vous voulez devenir bonne, pieuse, instruite. On rira : quand on aura bien ri, on ne rira plus, et, si l'on rit encore, vous continuerez votre chemin, parce que c'est le meilleur, et le seul qui mène au but.

*Franchise et courage.*

– Je crains de manquer de courage.

– Je le comprends, la nature est faible, et c'est à cause de cette faiblesse de nature qu'une grâce descend du ciel chaque fois que nous la demandons et nous aide à faire ce qui est difficile. Soyez sûre, ma chère Aline, que jour par jour et heure par heure, si vous avez confiance en Dieu, il vous donnera un secours suffisant pour bien remplir tous vos devoirs.

– Eh bien, décidément, dit la jeune fille avec une simplicité charmante, je vais écrire à M^{lle} Duval que c'est Dieu qui changera sa mauvaise élève en une bonne. »

Un sourire presque maternel fut l'encouragement d'Aline. On se mit à déjeuner, et aussitôt après, pendant que Stéphanie relissait ses bandeaux, relavait ses mains, rajustait ses manchettes, etc., etc., Aline s'installa dans une chambre écartée et écrivit cette lettre :

« Chère mademoiselle,

« Vous ne vous douteriez jamais de ce que je viens vous dire, c'est que je ne veux plus vous faire de chagrin, que désormais je serai bonne parce que Dieu m'aidera et que je le laisserai faire. Jusqu'à présent j'ai méprisé tous vos avis, j'ai voulu faire la grande sans me rappeler que faire la grande devrait être la même chose que faire la raisonnable. Voulez-vous que je vous dise quelque chose ? il le faut, puisque cette lettre est une lettre de franchise. Eh bien, j'avais l'air de mépriser vos avis, et je ne les méprisais pas, c'était un genre. Je me disais, au fond, que vous aviez raison, mais qu'en vous obéissant, j'aurais l'air d'une petite fille ; qu'il était temps de m'occuper d'autre chose que de mes leçons et de mes jeux.

« Vous me disiez depuis deux ans, vous me répétiez sans cesse, que je ne savais rien, que mes études péchaient par la base ; je riais, je voulais poursuivre tant bien que mal, sans jamais revenir sur un passé vu à la hâte, sans méthode, sans réflexion. J'en conviens aujourd'hui, vous disiez la vérité, je suis bientôt à la fin de mes livres d'étude, et je ne sais rien ! Ce sont des mots que j'ai entassés de force dans ma mémoire ; mais j'ai fermé la porte devant les idées, je n'ai jamais cherché à comprendre, à raisonner, à lier les faits. J'ai appris l'histoire comme les enfants apprennent Maître Corbeau sur un arbre perché... sans y voir autre chose qu'une suite de phrases qui amènent heureusement la dernière, la seule qu'on trouve à son goût parce que la leçon finit là. Où en suis-je ? Les étrangers disent de moi : Elle aura bientôt fini son éducation. Et moi, je dis tout bas comme vous et avec vous : Non, elle n'a pas fini ! Il y a des choses qu'elle n'a même pas commencées, tant elle les a peu comprises !

« Cependant au milieu de la tristesse que me causent ces pensées, je me souviens de vous avoir entendu dire qu'à mon âge on peut étudier autant en trois mois qu'un enfant le ferait en toute une année. Ce souvenir me rend le courage. Si vous le permettez, bonne amie, nous continuerons nos études comme à l'ordinaire à cause de ma sœur, mais chaque jour pendant une heure ou deux je retournerai avec vous au déluge, aux Pyramides, à Clovis, à l'A B C de tout ; nous irons vite parce que ma volonté sera bonne et que, si la tête me manque, je me servirai de la vôtre qui rend tout clair et facile quand on ne ferme pas les yeux exprès pour ne pas voir.

« Oh ! je vous en prie, ayez confiance en moi, ne dites pas que ce sont des promesses en l'air, ne pensez pas que mes résolutions soient vagues comme elles l'ont été tant de fois ; j'ai besoin que vous ayez confiance ! Votre méchante Aline vous attend les bras ouverts, elle se lèvera de bonne heure, elle ne mettra qu'une heure pour s'habiller et faire sa prière, elle ne flânera plus, elle ne sera plus moqueuse, et quand par faiblesse et par habitude elle retombera dans ces fautes, vous serez assez bonne pour l'aider à mieux faire.

« Au revoir, bonne amie, je vous attends avec bonheur pour commencer à être gentille.

« Votre affectionnée élève,

« ALINE DE SAINT-CLAIR. »

Deux jours après on recevait la réponse.

« Ma petite Aline, ma chère fille, je savais bien que le cœur était bon, excellent ; ne parlons plus de la tête ni du passé. J'ai lu votre lettre hier au soir, j'ai très bien dormi, et en dormant j'ai perdu la moitié de ma mémoire, cette moitié précisément qui contenait les fautes, les erreurs et les enfantillages d'Aline. Je ne vois plus que le

Franchise et courage.

présent, ce que Dieu voit lui-même et qu'il regarde uniquement dans l'âme qui retourne à lui. Il est si bon pour moi ! comment serais-je dure pour vous ? Il croit toujours ce que je lui dis du fond du cœur, comment oserais-je douter de vous ? J'ai confiance, Aline, et quand même il y aurait quelques rechutes, je ne douterai jamais de votre sincérité. Si je puis vous aider en quelque chose, servez-vous de moi, je demande à Dieu de bénir vos efforts, de me donner l'intelligence de votre cœur, et tout ce qu'il faut pour vous faire du bien, et un bien durable.

« Ne vous tourmentez pas au sujet de vos études, je me charge de combler les lacunes par une leçon particulière tous les matins, puisque vous consentez enfin à vous lever de bonne heure, ce qui laisse aux facultés intellectuelles tant de fraîcheur et tant de force. Je vous aiderai, et vous serez étonnée de voir qu'en rangeant dans votre tête les mots que vous y avez entassés, vous vous trouverez tout à coup savoir beaucoup de choses ; l'étude cessera d'être pour vous un supplice, et vous comprendrez ce mot d'une femme d'esprit que je vous ai tant de fois répété :

« Il n'y a dans le travail d'autre ennui que celui qu'on y met. »

« Enfin nous vivrons en paix, et ce sera un bonheur pour vous et pour moi ; il me tarde de vous revoir, bien chère enfant, et de commencer avec vous une vie nouvelle.

« Je vous embrasse du fond de mon cœur.

« Votre amie,

« Adèle Duval. »

## XVII

*La jambe de la mère Nicaise.*

Elle est en lessive, la mère Nicaise, c'est son beau moment, elle aime le lavoir parce qu'on y bavarde autant qu'on y savonne. Voyez comme elle est fière d'avoir dans sa hotte un monceau de linge ; elle cherche l'occasion de compter les chemises du père Nicaise pour faire voir qu'il n'en manque pas ; elle se plaît à rincer, rincer, vingt fois de suite, bas, cotillons, mouchoirs, pour demeurer au lavoir plus longtemps ; c'est pour elle un si agréable séjour ! Quand on passe près de ce lieu fortuné, on entend des voix aiguës former un concert qui pourrait s'appeler charivari. Chacune tient à faire le premier dessus, et, pour y arriver, monte de demi-ton en demi-ton jusqu'à la plus haute note du diapason humain. La mère Nicaise, quand elle ne peut plus monter, prend tout à coup la base, et gronde sourdement comme un orage qui n'éclate pas de peur d'en finir trop tôt. Écoutez, c'est elle qui pérore, tant et si bien, que les voisines en sont réduites à se taire :

« Eh ben, il paraît que c'est joliment drôle tout de même au château à présent. Ces demoiselles font des merveilles, à ce qu'on dit. Ce n'est pas l'embarras, je n'en crois rien. La petite au père Lubin, qui va tous les matins porter le lait, prétend savoir ben des choses par la fille de cuisine qui cause avec la femme de chambre. L'institutrice des cousines est revenue, une grande maigre toute jaune, vous savez ? C'est une vraie comédie ; c'est Jean qui pleure et Jean qui rit. L'une de ses écolières est gaie comme pinson, l'autre toujours en colère, et mamzelle Blanche est au milieu, sage comme une image, douce comme un mouton, elle qui était si méchante, c'est un fameux miracle, mais ça ne durera pas. On dit que l'institutrice a ben meilleure mine ; dame ! à présent qu'il y en a une mauvaise et une bonne, quand ça va trop mal d'un côté, elle se tourne de l'autre, et ça l'empêche de jaunir. Ah ! ces vilains enfants ! Quelle race ! Quel bonheur de n'en pas avoir, pour ma part j'en suis joliment contente.

« Qu'est-ce que j'en aurais fait ? Ils m'auraient tourné le sang, et j'aurais fini par les jeter par la fenêtre.

– Comme vous y allez, mère Nicaise, cria une petite vieille en savonnant son bonnet des dimanches.

– Oui, oui, si j'avais eu des enfants, je ne les aurais pas gâtés, allez ! soyez tranquilles, je les aurais fait marcher droit. Je n'aime pas les enfants, moi, ni les grands ni les petits.

– Bah ! reprit en fausset la petite vieille, quand on en a, on les aime, vous auriez fait comme les autres. Faut de la patience, mais il y a de bons moments. Vous voyez bien que mamzelle Blanche est devenue charmante et sa cousine aussi.

– Charmantes ? vous croyez ça ? C'est des grimaces ! Charmantes parce qu'on les dorlote : ma mignonne par ci, ma chérie par là. Ah !

La jambe de la mère Nicaise.

si c'était moi leur caporal, je les mènerais tambour battant, et vous verriez qu'elles ne seraient pas charmantes.

– On peut s'en rapporter à vous, mère Nicaise, vous feriez marcher un régiment de carabiniers, et ils ne broncheraient pas, j'en réponds. »

Un gros rire accueillit la plaisanterie, et la mère Nicaise fut obligée de rire aussi, bien qu'elle n'en eût pas envie.

« Allons, dit-elle enfin d'un ton résigné, faut tout de même que je m'en aille, car il va rentrer, mon homme, et je suis en retard.

– Comme à l'ordinaire, dit à demi-voix une femme à la face rouge et réjouie qui occupait le fond du lavoir.

– Comme à l'ordinaire ? répéta la mère Nicaise qui avait entendu, ah ! vraiment, de quoi vous mêlez-vous ? voyez-vous ça ?... » Et, mettant les poings sur ses hanches, elle se mit à parler vite, vite, vite, pour dire sottise sur sottise à l'imprudente, entremêlant de gros mots cette suite non interrompue de mauvais compliments. Comme la femme injuriée eut le bon sens de ne pas répondre, la vieille se vit presque obligée au silence quand elle fut au bout de son vocabulaire. Cependant, pour prolonger la scène, elle répéta vingt fois la même chose, tout en remplissant sa hotte de linge mouillé, et la secouant de colère chaque fois qu'elle y pensait. La hotte placée sur le dos, il fallut bien s'en aller ; l'assemblée n'en ressentit aucun déplaisir, car si l'on affectait le désir d'être avec elle en bons rapports, ce n'était pas par amitié, mais par crainte.

Hélas ! un malheur était bien près d'arriver. Au tournant du chemin, on entend le galop d'un cheval, la bonne femme ne se méfie pas, elle est presque aussitôt renversée par le cheval de Mathurin, le boucher, qui s'est échappé et court aux champs sans crier gare.

Des plaintes aiguës sortaient de dessous la hotte : « Au secours ! au secours !... » et personne n'entendait ! Le lavoir était trop éloigné et surtout trop bruyant. Tout à coup, deux jeunes filles ouvrent la porte du parc et s'élancent sur le chemin. Aline et Blanche se promenant ensemble ont été frappées de ces gémissements et n'ont pas hésité à voler de ce côté. Les voilà qui soulèvent avec une peine extrême la hotte pleine de linge, et qui relèvent la pauvre infirme ; oui, la pauvre infirme, car, dans cette chute terrible, elle s'est cassée la jambe ! Voyant qu'elle ne peut plus marcher, la mère Nicaise ne s'écrie pas : « Mon Dieu ! mon Dieu !... » Cette plainte si naturelle au chrétien ne vient pas sur ses lèvres, elle jette un affreux jurement, maudit le cheval, son maître, le lavoir, le linge, le mari, etc.

« Vous souffrez beaucoup, dit Blanche, il est impossible que vous vous rendiez chez vous.

– Pour ça, ben sûr, puisque je ne tiens pas debout.

– Je vais appeler le jardinier et le domestique, on vous fera asseoir, et tout doucement on vous portera dans votre maison. »

En même temps, la bonne petite laissant Aline soutenir la malade, courut appeler quelqu'un : plusieurs hommes répondirent à sa voix, et l'on reconduisit chez elle la malheureuse femme à qui la douleur et la colère arrachaient des cris sombres et de grossières injures.

Aline était allée prévenir M^{me} Tenassy de l'événement, et cette excellente dame, toujours attentive à développer dans les jeunes cœurs la vraie charité, lui avait dit : « Allez, ma chère enfant, suivez les porteurs avec Blanche, vous présiderez aux premiers soins, et vous me direz ce qui manque dans la maison, afin que je l'y envoie, car chez ces pauvres gens la misère se fait vite, et souvent elle arrive en même temps que la maladie. »

Aline et Blanche, en entrant dans la pauvre cabane, furent frappées de l'aspect attristant des murailles et du manque d'ordre qui déshonorait l'intérieur. Sur chaque chaise il y avait une partie de la défroque du vieux père Nicaise ; la vaisselle destinée par la coutume à orner le buffet n'avait pas été essuyée depuis six mois, on voyait de la poussière dans tous les coins de la chambre, balayée seulement au milieu.

Comment s'en étonner ? La ménagère ne devait-elle pas savoir tout ce qui se passait, et raconter ensuite tout ce qu'elle savait ? C'est une besogne qui prend du temps et qui revient tous les jours.

En ce moment de cruel embarras, la bonne Brigitte entra dans la maison de la malade pour offrir ses soins comme étant la plus proche voisine, mais la vieille la reçut avec aigreur. Brigitte, habituée à l'humeur de la bonne femme, et ne voyant que son malheur, fit tout ce qu'elle put pour lui être utile, bien décidée à remplir en cette circonstance tous les devoirs qu'impose la charité chrétienne. Elle

La jambe de la mère Nicaise.

aida les jeunes filles à la déshabiller, à la porter sur son lit avec de grandes précautions ; elle lui dit de douces paroles, lui promit de venir souvent la voir et de lui envoyer Madeleine tous les jours. Rien ne put toucher la mère Nicaise. Irritée par la souffrance, elle en voulait au genre humain, et, pendant qu'un jeune garçon de bonne volonté était allé chercher un médecin, pendant que Brigitte apportait de chez elle une tasse de bouillon, pendant qu'Aline et Blanche mettaient un peu d'ordre dans la chambre, la vieille jurait après le jeune garçon, le médecin, Brigitte, le bouillon, après tout le monde. Blanche s'en étonnait, elle qui avait trouvé dans la maison de Madeleine tant de délicatesse, tant de reconnaissance !

En revoyant sa mère, elle lui témoigna son étonnement que partageait Aline.

« Eh bien ! répondit en souriant M^me Tenassy, voici une belle occasion, mes enfants, de pratiquer la charité pour Dieu seul. Jusqu'à présent, ma petite Blanche, tu as trouvé du plaisir, dans le bien que tu as fait, tu as secouru une famille intéressante, une femme patiente et laborieuse, une jeune fille courageuse et aimante, des enfants beaux et gracieux. Aujourd'hui s'ouvre un champ nouveau : la mère Nicaise est bien certainement la plus ennuyeuse bonne femme que l'on puisse trouver à Sainte-Foy et ailleurs ; c'est une mauvaise langue, chacun le sait, elle ne nous aime pas, elle dit du mal de nous parce que notre fortune excite en elle une noire envie ; elle a tous les défauts des plus mauvais de sa classe, mais elle ne s'en est pas moins cassé la jambe, elle n'en est pas moins pauvre, abandonnée, malheureuse : c'est donc chez elle qu'il nous faut aller si nous voulons bien faire : c'est sur nous que compte la Providence pour se montrer à cette femme qui, probablement, ne la reconnaîtra pas sous nos traits, mais qu'importe ? En ce qui nous regarde, le devoir n'en sera pas moins accompli. Qu'en penses-tu ?

– Je pense... chère maman, je pense que c'est bien sale chez la mère Nicaise, qu'elle est bien méchante quand elle souffre, que je voudrais bien ne pas retourner dans cette maison-là... mais c'est peut-être, comme vous dites quelquefois, le mauvais *moi* qui est fâché.

– Précisément, ma fille chérie, il y a en nous deux parties ; la partie supérieure et la partie inférieure. La partie inférieure dit tout ce qu'elle a à dire sans se gêner, elle témoigne toutes ses répugnances devant un acte pénible, elle s'irrite, elle boude, elle s'emporte même. La partie supérieure n'y fait même pas attention ; elle gouverne, agit, et laisse l'autre crier sans la plus petite cérémonie. Que veux-tu ? nous ne sommes pas maîtres de l'impression. Si cette impression est désagréable, nous en souffrons. Ce qui constitue la vertu, c'est l'effort, et l'effort suppose qu'on trouve résistance. Veux-tu être vraiment bonne, vraiment charitable ? Veux-tu te préparer par une œuvre excellente à ta première communion ? Va moins souvent chez Madeleine où l'on t'aime, où l'on t'attend pour te le dire, consacre tous les jours un moment de loisir à une femme aigrie, malade, isolée ; Dieu bénira Madeleine autant qu'il l'a fait jusqu'ici, et toi, il te bénira bien davantage parce que tu auras pratiqué la charité pour lui seul sans attendre la moindre récompense terrestre. Réponds, mon amie, veux-tu faire ce que je te demande ? Ce n'est qu'un conseil, tu n'y es pas obligée, nous pouvons envoyer des secours par un domestique. Eh bien, tu ne réponds pas ?

– Je ne sais que dire, ma petite maman... je comprends bien que vous avez raison, mais... Et toi Aline, que veux-tu faire ?

– Uniquement ce que tu feras.

– Cela me décide. Aline ne sera pas moins bonne à cause de mon peu de courage. Nous irons voir la mère Nicaise, et vous nous direz comment on s'y prend pour bien faire, quand bien faire est très ennuyeux.

– Vous êtes de bonnes filles, et dès aujourd'hui je vous accompagnerai chez la malade après la visite du médecin. »

## XVIII
### *Mademoiselle Stéphanie.*

La vieille Nanette est assise dans son grand fauteuil ; elle tricote tout en fredonnant un refrain qui bien sûr date de soixante ans. Elle a rajeuni, Nanette, tout le monde le dit, elle-même le pense, bien qu'elle n'en convienne pas. C'est que chez les vieillards le bonheur allège le poids des années, et la nourrice est beaucoup plus heureuse maintenant qu'elle voit la paix régner à l'intérieur, et sa chère Athénaïs se rattacher aux ineffables joies de l'amour maternel.

« Allons, dit-elle à demi-voix, car elle parle volontiers toute seule, allons, nous y voilà : ma petite Blanche a compris l'histoire de sa chère maman : cette fois, du moins, je n'ai pas prêché dans le désert, elle est devenue meilleure et d'ici à quelques années ce sera le portrait de sa mère, je l'avais bien dit, et, certes, je m'y connais. » Elle en était là de son monologue quand trois petits coups frappés à sa porte attirèrent son attention.

M^{lle} Stéphanie parut, vêtue avec cette élégance recherchée qui cesse d'être de bon goût dans la vie simple de la campagne. On voyait que cette toilette avait exigé, non seulement des heures, mais des méditations ; la petite tête qui portait ces frisures, ces coques et tout cet attirail, s'était donné la peine de s'enfoncer, à ce sujet, dans de graves combinaisons : on avait essayé, fait, défait, refait, et, l'édifice achevé, il en était résulté une œuvre d'art, chef-d'œuvre peut-être sous la vitrine d'un coiffeur, mais non sur une tête de jeune fille vouée par son âge à l'étude, aux plaisirs simples, et à ce joyeux entrain qui est la plus belle parure à quinze ans. M^{lle} Stéphanie se promenait respectueusement elle-même de peur de se chiffonner, de se salir, ou de se décoiffer. Dans cette majesté, elle arriva chez la nourrice, non pour lui faire une petite visite amicale, elle était trop fière, mais envoyée par M^{me} Tenassy, comme intermédiaire, afin d'éviter aux pauvres vieilles jambes de Nanette de descendre ses deux étages une fois de plus.

Pour un observateur, c'eût été curieux de voir la précieuse Stéphanie en rapport direct avec cette bonne grosse Nounou qui faisait le bonheur et la sûreté de la maison ; elle commença par ne pas s'asseoir afin de n'avoir pas l'air de s'installer chez une personne qui n'était pas de sa condition ; puis, transmettant les paroles de sa cousine, elle jeta un regard méprisant sur les vieux souvenirs dont s'entourait la bonne femme ; tout lui paraissait laid, fumé, ridicule. En effet, les gens âgés n'estiment vraiment que les choses d'autrefois, et Nanette tenait à ses vieilles affaires par toutes les fibres de son cœur. À défaut d'expérience, la jeunesse a souvent une sensibilité qui lui fait tout comprendre. Cette sensibilité nous l'avons trouvée dans notre petite Blanche, malgré son étourderie et ses autres défauts ; mais M^lle Stéphanie s'était enfermée dès l'enfance dans une personnalité complète, elle était égoïste, c'est-à-dire que le *moi* l'occupait uniquement ; se bien porter, se parer, s'amuser, ne point se gêner : voilà quelles étaient ses préoccupations tous les jours et à toute heure. Elle était donc insensible à ces sensations délicates, à ces émotions que ressentent les natures généreuses, même quand elles se sont engourdies par la mollesse comme chez Aline, en qui reposaient, sous une enveloppe légère, les meilleurs instincts.

Nanette, quand elle était auprès de M^lle Stéphanie, n'ôtait pas ses lunettes, elle l'examinait comme une pièce curieuse, et cherchait avec finesse dans cette physionomie froide, dans ces yeux morts, dans cet ensemble maniéré, quelques vestiges d'une beauté native qu'elle avait vue en d'autres âmes et qu'il lui semblait impossible de ne pas retrouver ici ; mais son œil investigateur ne rencontrait rien. Dans Stéphanie, il y avait à l'extérieur une forme assez jolie, quoique sans naturel et par conséquent sans charme vrai ; à l'intérieur, un cœur sec, un esprit étroit, plein de colifichets, vide de connaissances utiles. Stéphanie n'était qu'une poupée modèle, une de ces figurines qui tournent sottement sur un pivot pour donner aux passants l'idée des modes nouvelles. La nourrice, sous son vieux bonnet de Valenciennes, en savait mille fois plus qu'elle sans avoir jamais étudié autre chose que son catéchisme, ses Évangiles, un peu d'histoire sainte et la civilité. La jeune fille ayant consacré à la vanité, à la bagatelle, aux riens de chaque jour, sa mémoire, son intelligence et son activité, ne pouvais désormais sortir d'un cercle très étroit sans un acte de la plus ferme volonté. À part l'esprit de moquerie, esprit si facile, le talent si peu estimé de contrefaire, et la science si peu profonde d'une toilette éternelle, Stéphanie était nulle, ignorante, insignifiante ; on disait d'elle : Elle est bien mise ! Et le compliment retournait à sa couturière et à sa modiste : c'était justice.

La nourrice ce jour-là était en si belle humeur qu'elle imagina de faire causer la demoiselle, de casser la glace s'il était possible ; et, pour atteindre à ce but, elle commença par hasarder quelques questions auxquelles on répondit oui, non, certainement, sans doute, volontiers, assurément, et d'autres adverbes encore, propres à terminer un entretien au plus vite. La vieille ne se rebuta point, elle insista, elle voulait trouver le chemin du cœur, mais les broussailles qu'on appelle futilités, coquetteries, ironies, lui barrèrent ce chemin, et la pauvre Nanette jugea aux paroles sèches, aux airs de hauteur de la jeune personne, qu'elle s'était bien trompée, et que Stéphanie demeurerait dans sa nullité égoïste.

« J'ai une lettre à écrire », dit tout à coup M^{lle} de Saint-Clair, et elle partit.

Un quart d'heure après, la moqueuse Stéphanie écrivait à une amie intime :

« Ma chère Adolphine,

« Je m'ennuie à mourir ! Sainte-Foy est un vrai tombeau : quelle vie ! quelle monotonie ! On ne voit que M. le curé et M. le maire qui font plus d'un siècle à eux deux, quelques voisins et voisines qui n'ont rien de très amusant, et les sœurs qui parlent de l'Église, de l'école, de la morale et du beau temps.

« Le bonheur de tous et de chacun ici, c'est de faire *son devoir*, on le répète sur tous les tons, c'est un concert plein d'harmonie. Franchement, connais-tu rien de plus soporifique que le devoir ? c'est bon pour les enfants dont la ressource est de grandir tant qu'ils peuvent pour échapper au guet-apens. Ma très chère sœur ne partage plus mes idées, elle s'est *convertie*, c'est le mot touchant dont elle se sert pour exprimer un ensemble de vues nouvelles qui la font rire moins souvent, être raisonnable, s'amuser à heure fixe, et s'ennuyer le reste du temps. Elle a, bien entendu, grand soin de dire qu'elle ne s'ennuie pas, qu'il y a en elle une joie douce, une paix non interrompue, etc., etc. En attendant, elle se coiffe en un quart d'heure comme une pensionnaire, met la même robe huit jours de suite, et tourne, je te le dis à regret, tourne à l'éteignoir et au bonnet de nuit ; je la regarde comme finie, perdue !

« La pauvre fille, docile à des voix amies (je prends son style), se retrempe consciencieusement dans les éléments de toute science. Dernièrement, elle repassait avec avantage son plat de lentilles, son ânesse de Balaam, et sa mâchoire d'âne, trois épisodes palpitants d'intérêt ; elle retourne avec candeur à la massue d'Hercule, aux échos répétant : Eurydice ! Eurydice ! à la retraite des Dix-Mille, au Rubicon de César, sans préjudice du vase de Soissons, du panache d'Henri IV et de cent autres fadaises dont on a bercé son enfance et la mienne, et qu'elle juge à propos de se remettre en mémoire comme pièces récréatives ; je me sauve par toutes les issues, de peur d'entendre l'éternel ronron de M<sup>lle</sup> Duval qui, racontant ces choses pour la centième fois depuis qu'elle est au monde, y trouve encore du charme. Elle utilise les heures, elle entasse les démonstrations pour faciliter *à sa chère élève* cette course à reculons si fort de son goût. Je ne désespère pas de voir Aline repasser sa table de multiplication et faire religieusement ses quatre règles sur un cahier destiné à ce brillant usage. Tu rirais bien si tu la voyais, son atlas en vis-à-vis, le corps penché en avant, le nez dans la Gironde ou dans la Saône, gazouiller comme à huit ans ses chefs-lieux et ses sous-préfectures ; elle y met un sérieux comique et bat des mains lorsque, partant du Pas-de-Calais, elle voyage sur une France muette sans se tromper de département. On lui fait traverser les mers, doubler les caps et gravir les montagnes ; quand elle a tout dit presque aussi bien qu'un abrégé de géographie, elle obtient de M<sup>lle</sup> Duval... un sourire de jubilation, c'est là son bâton de maréchal !

« Pauvre Aline ! Quelle métamorphose ! je me moque d'elle aussi souvent que possible, c'est ma seule ressource pour me désennuyer ; mais rien ne déride ce front majestueux ; Aline poursuit sa carrière et se sent soutenue par les Hébreux, les Grecs, les Romains et les barbares, sans compter les modernes, car notre grave cousine, madame Tenassy, applaudit à l'œuvre, et Blanche elle-même, malgré sa jeunesse et sa gaieté naturelle, a la bonté de trouver merveilleux le changement de mœurs de ma très respectable sœur.

« À toi seule j'avouerai bien que mes études ont été aussi superficielles que celles d'Aline, que j'ai toujours appris mes leçons pour les réciter et non pour les comprendre ; que ces noms, ces dates, ces faits qui se sont rencontrés, malgré moi, dans ma pauvre cervelle, y forment un chaos détestable, mais je me garde d'en convenir avec d'autres, n'ayant aucune envie d'y porter remède. M<sup>lle</sup> Duval me répète trois ou quatre fois par semaine : – Mon enfant, votre esprit ne se développera que dans le sens matériel, vous ne comprendrez pas les allusions que vous trouverez dans vos lectures, vous ne jouirez pas d'une conversation intéressante... etc. etc., je te fais grâce du reste ! Mais je ne compte nullement passer mon temps à lire ; encore moins à écouter de fort ennuyeux bavardages : une femme riche, pourvu qu'elle soit bien mise, est

Mademoiselle Stéphanie.

partout à sa place. Ma chère, il faut être jolie et savoir parler sans rien dire, je crois que c'est l'essentiel. Laissons les laborieux devoirs à la foule et, crois-moi, fuyons l'assujettissement, la fatigue et la monotonie. Adieu, amuse-toi si tu peux pour toi et pour moi, j'en ai grand besoin !

« Ton amie,

« STÉPHANIE. »

## XIX
### *Le trésor complété.*

Rien de gracieux et d'intéressant comme le visage de Madeleine ; on voit qu'elle est bonne et sage. Elle a pris de l'aplomb, elle s'est formée au commerce, elle a acquis ce savoir-faire, cet esprit d'ordre, par lesquels on gagne sa vie, on aide sa famille. Au milieu de tant de soins et de tracas, Madeleine trouve du temps pour tout ; même, le croirait-on, pour aller voir la mère Nicaise dont la mauvaise humeur ne la rebute pas. Cet acte de vraie charité lui est néanmoins bien pénible : la maison de la malade est si différente de celle de Brigitte ! quel désordre : ici, un cotillon rouge ; là, une casaque bleue, un vieux châle et la blouse du père Nicaise par-dessus ; des souliers crottés et des sabots occupent le dessous du lit, et dans toutes les encoignures on voit une poussière épaisse et cotonneuse qui se soulève au moindre vent.

Madeleine veut faire du bien, elle aussi ; elle veut pratiquer le grand précepte de la charité à sa manière, c'est-à-dire en donnant son temps, ses soins, ses forces, et surtout sa patience, car il en faut ! Quitter sa bonne mère et ses joyeux petits frères juste au moment où l'on se repose ensemble, où l'on s'égaye un peu avant de se coucher, cela coûte ; se mettre à la disposition d'une vieille femme toujours en colère, cela coûte encore plus ; la vertu seulement peut aller jusque-là. Madeleine est réellement vertueuse et sa première communion n'étant plus éloignée, elle s'y prépare de la manière la plus parfaite.

Ce soir, la gentille enfant a eu plus de peine que jamais à sortir de chez elle ; son petit frère était si caressant ; il voulait si bien jouer avec elle et Loulou ! à trois, on s'amuse tant !

« À demain, avait-elle dit d'un ton gracieux, il faut que je m'en aille ; pense donc que le père Nicaise qui travaille au loin ne rentre que très tard, et que d'ailleurs, il n'entend rien aux soins des malades. Si j'avais la jambe cassée, vois-tu, je serais bien aise qu'on vint à mon secours. Bonsoir, petit frère, ne pleure pas, couche-toi bien gentiment, je te promets d'aller t'embrasser quand tu dormiras. »

Cette promesse n'avait consolé qu'à moitié l'enfant ; sa grande sœur était partie, et au bout de cinq minutes elle entrait chez la bonne femme, plus ennuyeuse encore ce jour-là que de coutume.

« C'est toi, petite sotte ?

– Oui, répondit Madeleine, accoutumée à ce joli nom depuis que la vieille ne se gênait plus avec elle.

– Tu aurais bien dû te presser un peu.

– Est-il donc plus tard qu'à l'ordinaire ?

– S'il est plus tard ? Il est très tard, il est trop tard, ça n'a pas de bon sens de me faire attendre comme ça. Faut me rebander la jambe tout de suite, tout de suite, et dépêchons-nous ! »

Vite, Madeleine ôta son châle et se mit à genoux pour commencer son service, car la malade, pleine de cet égoïsme que cause la souffrance et qu'augmente le défaut d'éducation, lui parlait comme les gens mal élevés parlent aux mercenaires qu'ils emploient. Les épithètes de paresseuse et de maladroite revenaient sans cesse, tout ce que faisait la jeune villageoise était trouvé mal fait, et celle-ci se résignait pour l'amour de Dieu, disant au fond de son cœur :

« C'est ma manière de faire du bien, à moi ; je suis trop pauvre pour donner de l'argent : mon Dieu, j'accepte toutes ces duretés, toutes ces injustices, et je vous prie de les pardonner à la mère Nicaise à cause de sa pauvre jambe et de votre bonté ! »

Quand la chère petite avait ainsi prié, elle était plus courageuse encore. Nous l'avons vue, à genoux, commençant son office de sœur de Charité, tournant, retournant la bande de toile selon les indications de la malade qui, souffrant réellement beaucoup, attribuait ses douleurs, non au mal, mais à la bande et à la garde-malade. On passa bien un quart d'heure à chercher, à faire, à défaire : rien de bien ce jour-là. La colère de la vieille allait toujours

Le trésor complété.

croissant :

« Va-t-en, cria-t-elle tout à coup d'une voix menaçante, c'est toi qui m'empêches de guérir, je ne veux plus de toi, tu m'ennuies, tu me gènes, va-t'en ! »

Ces mots furent prononcés avec tant de fureur que Madeleine obéit, craignant d'irriter outre mesure la malade ; elle sortit tout en larmes, et, comme elle ouvrait la porte, Blanche accompagnée de la vieille Nanette apportait un looch pour calmer les agitations de la nuit ; elle vit pleurer Madeleine et en ressentit un vrai chagrin.

« Oh ! je vous en supplie, lui dit-elle en souriant, consolez-vous, vos larmes me font trop de peine.

– Mademoiselle, répondit tristement la fille de Brigitte, je ne sais plus comment faire ; elle me chasse, et je n'ai pu bander sa jambe, elle va donc rester ainsi toute la nuit ? »

Nanette fit alors quelques questions tout en se promenant au clair de lune, et, pendant que la chère enfant répondait, on ne s'aperçut pas de la disparition de Blanche. Celle-ci, obéissant à une inspiration soudaine, avait mis sur sa tête son mouchoir blanc en fanchon, à la mode de Madeleine : sa robe était de couleur foncée assez semblable à celle de son amie, à part la finesse. Elle ôta ses bagues et ses manchettes blanches, et, espérant que les yeux affaiblis de la vieille et la lueur si faible de sa lampe seconderaient ses efforts, elle entra dans la chambre :

« Te voilà donc revenue, petite sotte, lui cria la malade, tu m'as plantée là sans en finir ; allons, tâche d'en venir à bout. »

Blanche, sans dire une seule parole, de peur de se trahir, se mit à genoux près du lit et prit en main cette fameuse bande si difficile à placer.

« Ne serre donc pas tant, voyons, as-tu perdu la tête ?... Mais serre donc davantage, ça ne tiendra pas !... Mais tire donc, m'entends-tu ?... Pas si fort !... Tiens, tu t'y prends encore plus mal que tout à l'heure. Tu le fais exprès, je crois, tu te moques de moi, tu vas voir !... »

Blanche, victime du quiproquo, Blanche à qui pour la première fois de sa vie on parlait durement et avec injustice, se troubla, n'en devint que plus maladroite, et la vieille, de plus en plus en colère, la saisit brusquement d'une main fiévreuse, et dans son effort lui déchira la collerette qu'elle portait. Blanche interdite recula de trois pas ; sa première pensée fut de s'enfuir, mais elle se souvint de sa mère et des saintes paroles qu'elle lui avait entendu dire sur la charité chrétienne ; alors elle se rapprocha humblement du lit, et Dieu qui la voyait l'aida lui-même à tourner la bande autour de la jambe, car à ses yeux rien n'est petit ; elle fut tout étonnée de réussir, et, quoique la bonne femme ne lui fit aucun compliment, Blanche sentit au fond de son âme quelque chose de très doux qui contrastait avec les larmes dont, malgré elle, ses yeux s'étaient remplis.

La porte de la cabane était demeurée entrouverte ; Nanette, qui s'en était rapprochée sans faire de bruit, avait suivi d'un œil aimant tous les mouvements de l'enfant et de la malade : elle restait là, n'osant pas remuer, regardant la jeune fille de ce regard de nourrice dont elle caressait sa chère Athénaïs au temps de sa vertueuse et laborieuse enfance :

« C'est bien le même sang, se disait-elle, je la retrouve enfin. La charité a fait disparaître cet égoïsme qui nous cachait notre fille ; la voilà telle qu'elle est au fond, elle a compris l'effort, la vertu, le sacrifice, elle est bonne, elle a du courage, elle fait de bonnes œuvres, et ce n'est ni par entraînement ni par plaisir : mon Dieu, que je vous remercie ! »

Ainsi pensa Nanette. Ouvrant la porte, elle parut dans la chambre, ayant l'air d'ignorer tout ce qui s'était passé et acheva ce qui restait à faire de la besogne de Madeleine, car le vieux père Nicaise, que son ouvrage retenait d'ailleurs au loin, n'entendait absolument rien au ménage. Au moment de s'en aller sans avoir fait d'indiscrétion, bien qu'elle en mourût d'envie, Nanette laissa près de la malade la potion calmante et lui souhaita le bonsoir, puis on reprit le chemin du château.

Blanche croyait que Dieu seul avait vu son effort, mais la collerette déchirée par une main méchante et crispée parlait bien haut. La nourrice, laissant à la jeune chrétienne tout le mérite de son œuvre, se contenta de lui dire :

« Ah çà, mon enfant, vous ne pouvez pas remettre cette collerette-là, elle est perdue, je la réclame, entendez-vous ? c'est une idée qui

Le trésor complété.

me passe par la tête.

– Tu l'auras certainement, chère Nounou, puisque tu la désires, mais je ne croirai pas te faire un beau cadeau.

– C'est égal, je me sers de tout, moi, j'en tirerai encore quelque chose. »

En rentrant, Blanche alla trouver sa mère et ne lui dit de son aventure que quelques mots en riant ; elle sentait bien que ce qui est fait pour Dieu seul n'attend pas de récompense sur la terre, et les louanges maternelles eussent été trop douces en ce moment.

Une heure après tout le monde dormait, excepté la Nounou qui, assise dans son grand fauteuil, en face de sa petite table, tenait ouverte sur ses genoux la boite vénérée qui contenait son trésor ; ses larmes coulaient, pauvre vieille, comme si elle eût eu de la peine, mais c'était de bonheur et d'attendrissement qu'elle pleurait. Une fois encore elle souleva avec précaution chaque partie de son trésor ; il s'agissait de faire une place nouvelle pour un objet qu'elle tenait amoureusement entre ses doigts. Cet objet, Nanette le baisa avec respect et le déposa à côté de la tache de sang qu'elle avait gardée toute sa vie. Un petit papier fut attaché par une épingle à ce dernier souvenir ; elle avait mis ses lunettes et écrit à grand-peine, tout de travers et sans orthographe, ces mots pris dans son cœur :

« Dentelle déchirée au cou de la fille d'Athénaïs par une méchante vieille dont elle pansait la jambe ! Blanche est devenue bonne par la charité. La nourrice a mis dans son trésor ce qui y manquait ; mon Dieu, quand vous voudrez, vous pouvez la prendre, elle a tout fini ! »

## XX
### *Deux lettres le même jour.*

Un matin, pendant le déjeuner, le facteur apporta deux lettres : l'une pour Stéphanie, l'autre pour Aline. Ces lettres portaient les signatures de deux sœurs que les demoiselles de Saint-Clair avaient rencontrées au cours d'anglais à Paris ; c'était une liaison fondée sur une de ces sympathies qu'on ne s'explique pas trop, mais qui souvent ne sont que les premiers chaînons d'une amitié solide.

Les familles ne se connaissaient point, les mères s'étaient saluées deux fois par semaine pendant tout un hiver ; c'est assurément peu de chose ; mais la jeunesse marche vite, et comme tout était choix dans ces rapports, Adolphine recherchait plus volontiers Stéphanie, et Jeanne se rapprochait instinctivement d'Aline. Les jeunes filles s'étaient promis de s'écrire et se tenaient parole. D'abord, selon l'esprit du cours, on avait juré de ne jamais correspondre qu'en anglais, mais ce style à coups de dictionnaire ne portant point à l'expansion, on s'était écrit tout bonnement en français.

Stéphanie à peine sortie de table s'en alla lire sa lettre dans une allée du jardin, tandis qu'Aline décachetait la sienne dans l'allée voisine. Voici le contenue de ces lettres.

### Adolphine à Stéphanie.

« Ma chère Stéphanie,

« Tu m'as écrit gaiement comme à l'ordinaire, mais moi je ne ris plus ! j'étais heureuse comme toi, hélas ! tout est fini. Un affreux malheur est tombé sur ma famille, je te le dirai tout simplement, à quoi bon cacher ce qui n'est un mystère pour personne ? En un mot, nous sommes ruinés !... Te figures-tu ce que ce mot renferme d'ennuis, de tracas et de déceptions ? Changer de position tout à coup, quitter un bel appartement pour un nid à rats au quatrième étage, dans un quartier tranquille, ce que je déteste. Renvoyer sa femme de chambre et ne garder qu'une bonne à tout faire, qui fait tout mal par conséquent, s'habiller seule, ma chère, le comprends-tu ? Brosser sa robe, ranger ses affaires, et nettoyer ses peignes comme une petite bourgeoise, c'est affreux quand on a seize ans et qu'on s'est fait servir comme une princesse depuis l'enfance. Si tu savais ce qu'il y a d'irritant dans ces privations de tous les jours, dans cette absence du confortable qui était une seconde nature !

« Tout est triste autour de moi, je vis dans une atmosphère étouffante. Il faut n'entendre parler que de la position que l'on retourne à plaisir et qu'on envisage sous toutes ses faces trois fois par jour depuis tantôt quatre mois ; je te réponds que ce n'est pas amusant. Si l'on se contentait de gémir sur le présent, on s'y ferait ; mais l'avenir, voilà le champ dans lequel on me promène bon gré, mal gré. Que deviendra notre frère ? Pourra-t-on lui faire continuer

Deux lettres le même jour.

ses études ? Faudra-t-il briser sa carrière en les interrompant ? J'entends poser ces deux questions chaque fois qu'on y pense ; et Jeanne, dont la haute philosophie s'est prodigieusement développée depuis notre triste aventure, n'a plus d'autre conversation. Du reste, elle avait les plus heureuses dispositions à l'économie domestique, c'est une vraie Marthe qui s'entend à la besogne, et qui même y prend goût ; je la laisse faire très volontiers, car, entre nous, je trouve les détails d'un petit ménage odieux pour des femmes comme il faut. Entre tous ces ennuis, je ne sais que faire, tout me manque à la fois ; mes goûts sont contrariés, mes habitudes le sont aussi ; mes idées s'assombrissent, mon teint se fane, ma santé s'affaiblit ; je souffre de tout, et cela cause en moi un profond dégoût qui me rend la vie pesante. Tout ce qui charmait l'existence est détruit. Je n'en aimais que le brillant, il s'est terni.

« On me dit que nous ne pourrons pas même végéter ainsi longtemps ; on me menace, le pourras-tu croire, on me menace d'en être réduite à travailler ! Travailler pour de l'argent ! cette seule idée me fait horreur. D'ailleurs, que faire ? Ai-je jamais appris quelque chose ? pas plus que toi, tu le sais bien. Comme on m'a menée au cours fort jeune, j'ai prétendu à quinze ans avoir fini mon éducation. J'étais au bout de mes livres, c'est vrai, je n'avais fait que tourner les pages, il ne m'en est rien resté. À quel genre de travail me faudrait-il donc recourir ?... à l'aiguille ? l'aiguille que j'ai tant méprisée, l'aiguille que je déteste... Tiens, je suis irritée ! plains-moi, et tâche de garder ta fortune, c'est le plus grand des biens ; quand on perd celui-là, on perd tout. Adieu ; je suis accablée, découragée, je m'ennuie !...

« Ton amie, ADOLPHINE. »

### JEANNE À ALINE

« Ma chère petite Aline, je dois te paraître bien peu aimable ; n'avoir pas encore répondu à la lettre par laquelle tu m'apprenais l'heureux changement qui s'est fait en toi, c'est bien mal ! Je me reproche cette négligence, et pourtant, si tu étais près de moi, tu me la pardonnerais. Si j'ai tant tardé à t'écrire, ce n'est pas par indifférence, c'est, au contraire, parce que je t'aime et que je voulais te raconter tout ce qui nous est arrivé depuis quatre mois.

« Je commence par ces mots qui disent tout : nous étions riches, nous ne le sommes plus. La roue a tourné, c'est fini ; il ne s'agit pas d'illusions et d'espérance, il faut apprendre à être pauvre, à se tirer d'affaire. Dieu nous a ôté à peu près tout ce qu'il nous avait donné ; je regrette aujourd'hui le peu de cas que j'ai fait de ses libéralités, je ne l'en ai pas assez béni, en jouir me paraissait tout simple, le moment est venu de s'en passer. Si mon père vivait encore, il nous sauverait par sa prudence et sa capacité ; mais nous l'avons perdu, il y a quelques années. Dieu lui a épargné la douleur poignante de voir sa famille ruinée par un homme qu'il croyait son ami, et les spéculations hasardées ont englouti non seulement ses propres fonds, mais ceux qui lui étaient confiés. Mon père n'existant plus, nous restons presque sans ressource, si ce n'est celle qu'on trouve dans sa propre énergie quand la nécessité vous apparaît et qu'on demande à Dieu d'éloigner la faiblesse et le découragement. Ma bonne mère est depuis longtemps souffrante : là est le point le plus douloureux. Quand on est malade, il faut une vie douce et exempte de préoccupations. Que ne puis-je la lui rendre cette vie douce, qui est pour elle la première condition de guérison !

« Adolphine a maigri et pâli, elle se plaint de maux de nerfs et de battements de cœur, le chagrin lui fait un mal affreux et la jette dans un état où l'on ne peut que souffrir. Mon frère n'a pas quinze ans, il est triste de notre commun malheur, mais il n'en mesure pas toutes les conséquences ; la plus grave serait de ne pouvoir lui faire continuer ses études, et de fermer par conséquent devant lui la carrière qui lui était ouverte. Non, cela n'est pas possible. Tu comprends bien que, me portant à merveille, mon devoir est de travailler, car le travail est le seul adversaire de la pauvreté. Il s'agit de donner à ma chère maman un peu d'aisance, et à mon frère le moyen de rester au collège. Dieu, certainement, ne nous parle pas à l'oreille, cependant il a une manière de faire entendre sa voix bien clairement, c'est par l'enchaînement des circonstances et par la disposition de notre cœur ; on se sent attiré de tel ou tel côté d'une façon presque irrésistible, et, malgré les répugnances de la nature qui voudrait toujours ne faire que ce qui lui est commode, on voit le chemin devant soi, on y entre avec bonne intention, et à peine y a-t-on fait quelques pas qu'on se sent aidé puissamment.

« Mais je t'entends demander : Que va faire ma chère petite

Deux lettres le même jour.

Jeanne ? de quoi est-elle capable ? Cette question, je me la suis faite à moi-même et je me suis reconnue bien au-dessous de la situation ; cependant mes bonnes dispositions ont déjà été bénies. D'abord, je te dirai, ma chère Aline, une chose étonnante, très étonnante, c'est que le chagrin ne me fait pas de mal. Plus je vois naître de difficultés, plus je me sens désireuse de les vaincre. Et puis, franchement, le malheur qui est venu fondre sur nous a peu changé les habitudes de ma vie. Tu sais bien qu'Adolphine m'avait surnommée Marthe, parce que j'aimais à me lever de bonne heure, à faire mon petit ménage, à m'habiller seule, me coiffer moi-même, à ranger, coudre ; or aujourd'hui, dans notre intérieur, qui n'a plus rien de confortable, le rôle de Marthe est à la mode, à la grande mode. Ce que je faisais parce que maman m'y engageait, comme principe de bonne éducation, je le fais par nécessité, mais sans surprise, sans maladresse, je dirai presque sans tristesse en ce qui ne regarde que moi.

« Cependant économiser, s'occuper du ménage, aider notre unique domestique, cela ne suffit pas : il faut travailler, je te l'ai dit.

« Ma première pensée a été de me servir de l'instruction que maman m'a fait donner pour être utile à tous, et assurément cela est bien juste. Ah ! que je suis heureuse d'avoir travaillé sérieusement et non pour en avoir fini. Je sais peu, assurément, parce qu'à dix-sept ans on sait très peu ; mais ce que j'ai appris, je l'ai compris et retenu. J'ai, comme le dit maman, le canevas et la laine sans lesquels on ne ferait rien ; il reste à broder : on y parvient par des lectures, des conversations, des remarques, et par cette expérience et cette force que les années apportent tour à tour à notre esprit. J'ai consulté les maîtres qui m'ont dirigée, et j'ai reçu d'eux d'affectueux encouragements et des marques d'intérêt qui m'ont vivement touchée. L'un de ces messieurs m'a déjà promis deux petites élèves de cinq ans qui suivront ses cours, et auxquelles, dans l'intervalle je répèterai tant qu'elles le voudront, et même plus, que trois et trois font six, et que deux singuliers valent un pluriel. Sera-ce très amusant ? Non ; mais les bonnes petites, et celles qui leur seront associées, donneront à ma mère, en échange de mes efforts, ce qui lui manque aujourd'hui, un peu de bien-être, et laisseront mon cher Albert faire du grec et du latin, jouer aux barres, et devenir un homme pour être le meilleur soutien de la famille. Ne les aimerai-je donc pas ces pauvres enfants malgré leurs caprices et tous les défauts du jeune âge ? Oui, il y aura un lien très doux entre elles et moi, et je demande à Dieu d'avance de les bénir, ces chères petites élèves.

« Je t'ai ouvert mon cœur, Aline, ne me plains pas trop, tu vois que dans le malheur il y a des compensations ; Dieu prend toujours notre mesure avant de nous envoyer une grande peine ; il a pris la mienne si juste que je ne me sens pas trop gênée. J'ai confiance, tout ira bien. Au milieu de mes peines, ton souvenir m'est très doux. Aimons-nous toujours davantage, puisque nos idées se rapprochent de plus en plus. De quoi donc me plaindrais-je ? suis-je réellement pauvre ? mais non, j'ai une famille et, de plus, j'ai une amie en toi : que d'autres ne connaissent pas le charme de l'intimité ! Adieu.

« JEANNE. »

## XXI

### *La première communion.*

Le garde champêtre allait et venait d'un air grave ; les commères de Sainte-Foy, en habits des dimanches, se tenaient toutes sur le pas de leur porte, la cloche sonnait à grande volée, et, malgré la saison d'hiver gardant à son déclin quelques rigueurs, on sentait dans l'air ce parfum de fête qui au village réjouit plus encore que dans nos cités.

Les enfants se rendaient à l'église sur deux rangs, les filles d'un côté, les garçons de l'autre ; à la tête des filles qui marchaient deux à deux, on voyait, touchante et véritable égalité, Blanche et Madeleine. Le grand jour était enfin venu. Comme on ne faisait de premières communions que tous les deux ans à Sainte-Foy, ces deux jeunes filles se trouvaient être un peu plus âgées, que souvent on ne l'est au moment d'accomplir ce grand acte : elles avaient près de quatorze ans. Madame Tenassy avait désiré ce retard à cause de l'extrême enfantillage de sa fille, et Madeleine l'avait subi par suite d'une maladie qui l'atteignait précisément au temps des catéchismes deux ans auparavant. Elles se trouvaient donc cette fois encore rapprochées par la Providence qui leur avait déjà fait tant de bien en les prêtant l'une à l'autre.

On entra dans l'église en procession : les sœurs de l'école conduisaient pieusement le cortège, les mères le suivaient ; tout était simple, quoiqu'on eût prit grand-peine à orner l'intérieur du saint temple. Chacun trouva place : madame Tenassy entra dans la petite chapelle qui lui était réservée et se tourna de manière à laisser tomber ses regards sur Blanche qui, profondément recueillie, attendait, en chantant des cantiques avec ses compagnes, que la messe commençât. Oh ! qu'elle est heureuse aujourd'hui la mère de Blanche, le temps des larmes est passé ! Après une vie de sacrifices, elle peut enfin se reposer dans le bon petit cœur de sa fille qui maintenant comprend le sien.

À côté de madame Tenassy, on voit une femme âgée en grande toilette : robe de mérinos vert d'eau, tablier de soie noire à bavette, un beau châle, un superbe bonnet de dentelle, vrai bonnet de noce qui n'a encore paru qu'au mariage de sa chère Athénaïs. Comme elle est fière, la vieille Nanette ! Elle prendrait volontiers des attitudes de reine, si à chaque instant des larmes d'attendrissement ne la forçaient de tirer son mouchoir, qu'elle a même fini par ne plus remettre dans sa poche. Pour elle, c'est une double fête : Blanche l'occupe sans doute, mais ne l'occupe pas uniquement. La mère de la première communiante est heureuse et émue, c'est assez pour que la nourrice soit elle-même heureuse et émue, tant son existence est liée à celle de son Athénaïs.

Oui, elle pleurait de tendresse, l'excellente femme, et son esprit retournait avec son cœur en Italie, où elle revoyait par une vision intérieure très fidèle une belle église de marbre, une madone, des cierges, et devant l'autel, une pauvre petite Française, fille d'un condamné à mort et d'une émigrée malade ; cette petite Française faisait, elle aussi, sa première communion, et la nourrice était là, représentant toute sa famille. Oh ! comme c'était touchant ! Cette solennité sur la terre étrangère y semblait une fleur apportée du pays ; mais non, le pays ne produisait plus que des ronces. Nanette, à travers les années écoulées, contemple encore la petite fille si bonne, si raisonnable, si malheureuse, qui dans ce flot de brunes Italiennes, garde ce charme triste appartenant aux exilés.

Pour les vieillards, le passé est plus riche que le présent. Ils ont revu tant de fois les mêmes scènes dans leur mémoire, ces scènes se sont si fort embellies par le souvenir, que jamais l'actualité n'atteint un aussi haut degré d'intérêt. Nanette était donc heureuse par les doux tableaux qu'elle revoyait en elle et par celui qui passait sous ses yeux.

L'heure solennelle arriva : les enfants entourèrent la table sainte, et le bon Dieu vint se reposer dans leurs cœurs pleins de bon désirs et de naïves promesses. Revenus à leurs places, on les voyait prier, ces bons enfants, se prosterner, cacher leur tête légère dans leurs mains comme pour enfermer Dieu dans un cercle où la distraction ne pût pas entrer. Tous ne comprenaient pas également la grandeur de ce qui se passait, mais tous avaient bonne volonté ; l'Église n'exige pas davantage dans l'accomplissement de ce devoir dont une âme sainte a dit :

« C'est l'acte le plus facile et le plus fécond du catholicisme. »

Blanche était comme perdue dans le recueillement de la présence de Dieu ; elle se laissait aller au sentiment si doux de la reconnaissance et remerciait le Seigneur d'avoir agi si fortement sur son cœur depuis un an par différents moyens. Elle rendait grâce pour le don qui lui avait été fait au commencement d'une mère si bonne, si dévouée, si sage ; elle la nommait de l'âme et des lèvres, demandant pour elle ce je ne sais quoi que l'homme à tout âge appelle le bonheur. Et la vieille nourrice, comme elle revenait aussi dans sa mémoire sous les traits d'une amie de tous les jours assise au foyer, à toute heure, prête à servir, aimer et pardonner ! Blanche pria encore à ce premier moment pour son père qu'elle n'avait pas connu, mais que M^{me} Tenassy lui avait fait aimer en lui parlant de sa droiture et de sa bonté. Vint le tour de Madeleine, qui, possédant si peu des biens de la terre, était ce jour-là aussi riche que Blanche, puisqu'elle arrêtait Dieu comme elle sous sa tente terrestre. Sa compagne fit une tendre prière, demandant que la villageoise fût bénie toujours davantage, et qu'au ciel rien ne séparât plus des cœurs si pareils sous les dissemblances de l'enveloppe ou du cadre.

Les enfants se remirent à chanter des cantiques ; ils parlaient du ciel, des anges, de Marie, la mère par excellence, qui se tient entre son divin Fils et nous comme une porte de salut, s'ouvrant d'elle-

La première communion.

même dès qu'on frappe, et quelquefois même sans qu'on ait frappé. Il naquit de cette poésie simple mille pensées de foi, d'espérance et d'amour. Les cœurs écoutaient, et les plus durs se sentaient remués par la voix des enfants, tant ce qu'ils disaient avait de grandeur.

Le pasteur de ces brebis dociles leur parla doucement de la terre et du ciel : de la terre, qu'il faut traverser en travaillant avec innocence et courage ; du ciel, où ce chemin béni nous mène par la bonté de Dieu ; sa parole fut comprise, et la cérémonie terminée, la foule sortit en bon ordre, puis les enfants furent rendus à leur famille.

« À tantôt, dit Blanche à Madeleine en lui serrant la main.

– À tantôt, mademoiselle », répondit la paysanne, et l'une prit le chemin du château, l'autre celui de la maisonnette, toutes deux joyeuses, toutes deux appelant ce jour un beau jour.

## XXII
*Encore la tasse blanche.*

On est au dessert, il y a un déjeuner chez Brigitte, un vrai déjeuner préparé dès la veille pour ne pas entraver la liberté du matin. Quand une famille pauvre, mais laborieuse, prévoit une fête, elle s'y dispose longtemps à l'avance, et cette joie, faite à grand-peine comme une mosaïque, est appréciée de tous et longuement savourée. C'est pourquoi, à côté de la communiante, vous voyez les figures réjouies de Jacques et d'André s'épanouir comme des roses. Ils la regardent avec admiration, elle est si belle à leurs yeux : cette robe blanche, ce joli bonnet de tulle, ce chapelet blanc au bras, tous ces dons de M$^{lle}$ Tenassy rehaussent si bien la fraîcheur de la jeune fille ! Elle a l'air d'une princesse, dit Jacques, tandis que le gros André la regarde avec l'ébahissement de l'étranger devant l'inconnu. Leur mère est calme et souriante, c'est sa joie à elle, elle n'en connaît pas de plus vive, à présent que le brave ouvrier qui présidait toutes les fêtes n'est plus là. Ah ! comme il serait heureux s'il voyait aujourd'hui Madeleine ! La veuve est obligée d'éloigner ses plus fidèles souvenirs, car les enfants n'entendent pas la tristesse ; ils veulent le bonheur sans mélange : pourquoi ne pas le leur laisser ? Ne s'en ira-t-il pas avant qu'ils aient grandi ? Brigitte a donc découpé en souriant ce beau morceau de viande froide qu'elle a fait cuire hier ; chacun en a une grosse part, on y ajoute une bonne salade, un grand morceau de galette et une petite tasse de café au lait ! Voilà un festin ! Jacques n'en revient pas, et dit à sa sœur : « Tu devrais bien tâcher de faire plus souvent ta première communion ! »

Le cher enfant ne sait pas que c'est précisément la rareté de nos joies qui nous les rend si belles ; il se régale pour tout de bon et égaye la famille par ses rires et ses battements de mains. Loulou ne saurait être exclu de la fête ; on lui a fait un collier de ruban bleu avec une belle rosette et deux bouts qui pendent, et il lui a été recommandé de faire bien attention à sa toilette et de ne pas se salir. Moins sensible à la parure qu'aux délices du déjeuner, il se tient près de sa petite maîtresse, la tête appuyée sans façon sur la table, et reçoit avec bonheur ce qu'on veut bien lui donner, car Madeleine songe à lui, elle n'oublie rien.

La douceur de ses pensées se reporte sur tout ce qui l'entoure, elle regarde sa mère, Jacques, André, Loulou, elle promène ses yeux attendris sur les murs de la chambre, tout lui plaît, tout se revêt de ce charme plus vif que nous puisons en nous-mêmes et que nous croyons appartenir à ce qui est en dehors de nous. La demeure où se sont écoulées ses premières années lui paraît plus que jamais plaisante ; elle en mesure la hauteur, la largeur, elle la trouve commode et précisément telle qu'elle doit être. Toute sa vie a passé là ; elle voit de la fenêtre son univers à elle : le petit jardin où elle a essayé ses premiers pas, la route, les champs, le village, l'église, le château. Qu'y a-t-il donc de plus dans le reste du monde ? Madeleine, sous cet horizon, n'a-t-elle pas connu tout ce que nous devons connaître avant la grande patrie ? Elle pensait ainsi depuis quelques instants, et son visage reflétant une idée sérieuse, Jacques, que cela n'arrangeait point, la tira de sa rêverie.

« Tu as l'air triste, Madeleine, il faut rire, puisqu'on dit que c'est le plus beau jour de ta vie ; allons, rions. »

Madeleine ne repoussa point l'élan fraternel ; elle se leva de table, le déjeuner étant terminé, et comme sa mère voulait vaquer seule aux soins du ménage, la jeune fille, après l'avoir embrassée, alla se promener aux alentours avec les trois petits, comme elle disait en riant.

Encore la tasse blanche.

Ils n'avaient pas fait vingt pas qu'un vieillard se présente au détour de la route ; c'était ce brave homme qui, un jour, avait reçu de Brigitte et de sa fille une pièce de deux sous restant uniquement sous la tasse blanche : il avait souvent revu cette honnête famille et accepté d'elle un peu de pain ; en ce moment, Madeleine lui apparaissait sous un aspect inaccoutumé ; elle avait revêtu, pour sortir, ce beau voile qui la parait si bien, elle avait remis ses gants blancs : le vieillard s'arrêta :

« C'est bien vous, dit-il, mademoiselle Madeleine, je vous reconnais dans votre belle toilette, et je suis venu à Sainte-Foy tout exprès pour vous voir.

– C'est vrai, dit l'enfant, c'est ordinairement le samedi que vous faites votre tournée dans le village, et c'est aujourd'hui dimanche.

– Oui, je savais que vous deviez faire votre première communion, et j'ai voulu venir, car je tenais en réserve un cadeau pour vous.

– Un cadeau ?

– Oui, un cadeau. Cela vous étonne ? Vous vous dites : il est si pauvre, qu'a-t-il à donner ? Je suis bien pauvre, mais je possède un bien qui vient de Dieu, c'est celui-là que je vous apporte. Vous souvient-il qu'un jour vous étiez malheureuse, oh ! bien malheureuse ! n'ayant plus sous la tasse blanche que deux sous ? et votre mère étant couchée et toute pâle ?

– Je m'en souviens, dit Madeleine, mais comment avez vous su que...

– Je l'ai su par vous-même, qui parliez tout bas, mais pas assez bas à la mère Brigitte. Ces deux sous, vous me les avez donnés, et je vous ai dit que cette grande charité vous porterait bonheur ; me suis-je trompé ?

– Oh ! non, dit la villageoise, depuis ce jour-là, la dame du château a guéri maman, sa fille m'a aimée, je suis une petite marchande, et nous ne sommes plus malheureuses.

– J'en étais bien sûr. L'aumône faite au nom de Dieu s'en va tout droit jusqu'à son trône et revient sous une autre forme à celui qui l'a donnée. Ô mon enfant, quelle que soit votre position dans l'avenir, n'oubliez pas la tasse blanche ! Maintenant, je veux vous laisser ce bien dont je vous ai parlé, c'est mon aumône à moi. Inclinez-vous, ma fille, et recevez la bénédiction d'un pauvre vieillard. »

Madeleine et ses jeunes frères se mirent à genoux, il éleva les mains et dit avec ferveur :

« Seigneur, je vous demande de rendre à Madeleine ce qu'elle a fait pour moi ; bénissez-la, gardez-la de tout mal et laissez-lui sa mère !

« Levez-vous, dit-il ensuite d'une voix affaiblie par l'émotion ; adieu, Madeleine, je suis venu non pour recevoir, mais pour donner à mon tour ; je reviendrai dans quelque temps, mon grand sac sur le dos, vous y mettrez encore ce que vous pourrez y mettre, et puis, quand vous ne me verrez plus revenir, vous direz :

« Le vieux pauvre est mort.

« Et vous prierez pour lui. »

Après avoir ainsi parlé, il s'éloigna par le chemin de la fontaine, et la jeune fille, pleine d'une joie attendrie, alla dire à Brigitte : « Mère, je suis bénie. » Puis, elle lui raconta ce qui venait de se passer, et finit en ajoutant : « Je voudrais te demander quelque chose.

– Parle, mon enfant, aujourd'hui je ne puis rien te refuser.

– Afin que je n'oublie jamais que la charité porte bonheur, mère, donne-moi la tasse blanche, je la mettrai plus tard dans mon petit ménage, et si je retombe un jour dans le malheur je réserverai sous cette tasse ma dernière ressource et je la donnerai, comme tu m'as montré à le faire, pour l'amour de Dieu.

– Va, dit Brigitte avec effusion, prends la tasse blanche, ma fille bénie, et sois heureuse, plus heureuse que moi ! »

## XXIII

*Le baiser de la charité.*

Un jour de première communion, c'est fête partout. Chaque intérieur où rentre un enfant est un intérieur transformé. Le riche et le pauvre font la même chose avec des moyens différents, mais partout on peut dire : c'est une fête.

Voyez comme au château on va, on vient ; le cœur pense à tout. Dès la veille, on a redoublé de soins pour que tout fût digne de la solennité ! De grand matin on était sur pied ; Nanette trottait à droite, à gauche, comme si elle avait eu trente ans de moins, n'oubliant rien, préparant un dessert soigné, pendant qu'à la cuisine on s'occupait encore de l'enfant de la maison pour rendre son retour plus joyeux par ces témoignages matériels qui ne sont rien dans le fond, mais beaucoup dans la forme.

Quand on revint de l'église, on trouva un déjeuner splendide dont Blanche fut la reine et auquel prirent part le respectable curé de Sainte-Foy et un très petit nombre d'amis.

Aline, qui depuis son séjour au château était demeurée intimement liée avec sa jeune cousine, avait obtenu de sa mère la permission d'y revenir pour goûter cette joie de famille qui l'intéressait vivement. Le repas fut aimable, on s'y reposa, et le temps étant propice, on fit ensuite le tour du parc. Les deux jeunes personnes se donnèrent le bras et se mirent à causer à demi-voix.

« Eh bien ! ma chère petite Blanche, te voilà donc arrivée à ce jour tant désiré, auquel tu t'es préparée par de si grands efforts.

– Ne parle pas d'efforts, chère Aline, j'ai été soutenue, portée, par maman, par Nanette, par tous ceux qui m'ont donné des conseils et des exemples. Si tu savais comme je me sens reconnaissante envers tout le monde et aussi envers toi qui as voulu être de la fête.

– Oui, je l'ai vivement souhaité ; le lien qui m'attache à toi est un lien très fort ; c'est ici que mes yeux fermés se sont ouverts ; il y a mille choses que je n'ai comprises qu'à Sainte-Foy. Nous sommes unies pour toujours ; je n'ai qu'un regret, c'est que ma chère Stéphanie n'ait pas senti tout ce que j'ai senti, elle serait beaucoup plus heureuse.

– Et son amie Adolphine, qu'est-elle devenue ?

– Son amie Adolphine est tombée dans un état inquiétant ; sa santé gravement altérée la rend incapable de supporter les épreuves qui ont atteint sa famille ; elle est à plaindre et ne peut en rien soulager les siens ; bien au contraire, c'est vers elle que tendent tous les efforts, on est occupé d'elle principalement, on se désole, on s'empresse, et l'on ne parvient pas à dissiper l'espèce de langueur qui la consume.

– Pauvre Adolphine ! Et ta Jeanne ?

– Ma Jeanne travaille ; son caractère fortement trempé paraît dans tout son jour. J'ai eu le bonheur de la voir souvent pendant notre séjour à Paris, et vraiment je trouvais à peine l'occasion de la plaindre, tant elle était sereine et contente au milieu des ennuis et des fatigues quotidiennes de sa vie de devoir. Jeanne est mon modèle, je la regarde dans mon cœur et je la trouve plus heureuse qu'on ne le croit. Elle a la joie de faire ce qui doit être fait. Sa mère accablée de peines les oublie toutes en la voyant ; non, non, ce n'est pas Jeanne qui est malheureuse, c'est Adolphine. »

Les jeunes filles en étaient là de leur entretien lorsqu'on vit apparaître au bout d'une allée qui touchait au château la tête de Loulou avec son collier de ruban bleu ; de toute la famille, c'était le moins timide, et pendant que Brigitte et ses enfants se tenaient à l'écart, lui venait tout bonnement présenter aux caresses accoutumées son minois doux et charmant.

« Bonjour, mon cher Loulou, dit gaiement mademoiselle Tenassy ; tu as bien fait de venir, il n'y a pas de fête si les amis n'y sont pas. » Elle passa sa main sur la tête du joli animal, et, donnant le bras à sa cousine, marcha vers Madeleine. Les deux enfants, blanches toutes deux, joyeuses toutes deux, s'embrassèrent cordialement. Jacques et André montrèrent complaisamment leur belle toilette à laquelle on applaudit, car elle était le fruit du travail intelligent de Brigitte, et puis on se promena tous ensemble. Bientôt M$^{me}$ Tenassy, ayant reçu l'adieu de ses convives, vint elle-même se joindre à l'heureux groupe. Les mères sentaient le besoin de parler de leurs filles bien-aimées ; Blanche et Madeleine se racontèrent mille détails relatifs à la première communion, et Aline, avec une complaisance toute gracieuse, fit jouer le gros André et son frère.

La châtelaine et la paysanne se plaignirent tout bas l'une à l'autre de ce qu'il manquait, sous leur toit respectif, un absent dont elles seules sentaient profondément le vide ; elles dirent que pour elles aucune fête désormais ne serait complète. Il fut aussi question de l'avenir, et, pendant ce grave entretien, on entendait le doux rire de Madeleine, puis les francs éclats de ses petits frères qui couraient après l'aimable Aline et semblaient étouffer de bonheur quand ils l'avaient attrapée.

Tout à coup un souvenir dur et froid traversa la pensée de Blanche,

Le baiser de la charité.

elle ne le chassa point et dit à Madeleine en la tutoyant par amitié :

« As-tu vu au bas de l'église la mère Nicaise appuyée sur ses béquilles et nous regardant ?

– Oui, je l'ai vue, dit la villageoise en riant, et elle ne m'a pas paru, hélas ! de meilleure humeur qu'à l'ordinaire.

– J'ai remarqué comme toi, Madeleine, cette figure maussade au milieu de tant de visages joyeux ; cela vient sans doute de ce que pour elle il n'y a pas de beau jour. Vois, elle est pauvre, âgée, détestée de tous, elle ne peut pas aimer la terre, et elle croit à peine au ciel, où donc est sa joie ? Il n'y en a pas dans son cœur. Si tu voulais, nous irions la voir aujourd'hui et nous lui porterions un petit régal.

– Ah ! mademoiselle Blanche, dit Madeleine, faisant une moue délicieuse, aller chez la mère Nicaise ! aujourd'hui ! J'y ai été si longtemps tous les soirs ! N'est-ce donc pas assez ? Elle n'a plus besoin de nos soins à présent.

– Non, répondit Mademoiselle Tenassy, avec une malice tout aimable, mais je crois que nous avons encore besoin d'elle pour apprendre à pratiquer la charité.

– Si vous y allez, ma chère demoiselle, j'irai avec vous, et je lui porterai ma brioche bénite que j'avais gardée pour ce soir. Voilà les vêpres qui vont bientôt sonner, partons, si vous le voulez. »

Avec la permission de leurs mères, les premières communiantes, suivies de la fidèle Nanette, allèrent faire leur petite visite, mais la nourrice ne put en prendre son parti ; elle murmura tout le long du chemin, car, depuis la scène de la collerette, elle avait en horreur la méchante vieille, et, tout en admirant sa chère Blanche, elle lui en voulait un peu d'avoir inventé quelque chose d'aussi ennuyeux, disait-elle, pour un pareil jour. Au moment d'entrer, il lui prit un redoublement d'horreur, et elle dit aux enfants : « Je vais vous attendre en me promenant devant la porte, je ne veux pas la voir, elle est trop laide pour aujourd'hui. »

Elles entrèrent portant, l'une du vin vieux, l'autre sa brioche. La vieille était assise tristement et paraissait accablée.

« Qu'avez-vous, dit Blanche ? D'où souffrez-vous ?

– J'ai mal partout, mademoiselle, je n'en peux plus ! Comment vous avez pensé à moi ! Après m'avoir soignée si longtemps, vous revenez aujourd'hui me voir. Allons, il y a encore du bon monde, et même chez les riches, ajouta-t-elle, en regardant Mademoiselle Tenassy.

– Oui, il y a encore du bon monde, voyez-vous, il faut me croire, vous êtes trop malheureuse parce que vous ne dites vos peines à personne.

– À qui voulez-vous que j'en parle, mademoiselle ? Mon mari ? quand il est là, c'est pour manger, et quand il ne mange pas, il dort. Des amis ? je n'en ai jamais eu.

– Et le bon Dieu, mère Nicaise ?

– Ma foi, vous avez bien raison, je finis par le croire. Tenez, ce matin, en vous voyant passer, ça m'a donné un coup dans l'estomac. Vrai, puisque vous savez si bien faire votre prière, priez un peu pour moi. »

Les deux jeunes filles tendirent en même temps les mains à la vieille femme et, s'étant regardées comme deux anges se regarderaient avant d'accomplir les désirs divins, elles l'embrassèrent... Alors il y eut comme une fonte dans ce vieux cœur glacé par l'impiété ; des larmes tombèrent de ces yeux caves, et la mère Nicaise dit avec un accent nouveau : « Ah ! puisque vous êtes si bonnes, ça prouve que Dieu est bon ! mais je ne le connais pas, moi.

– Vous le connaîtrez bientôt, dit Madeleine, il est tout près de nous, pauvres gens, il ne demande pas mieux que de venir quand nous faisons un pas vers lui. »

On causa un moment encore, puis la cloche sonnant, on se retira après avoir jeté dans la pauvre cabane une semence divine qui allait germer sous des ruines et devenir un grand arbre.

Les jeunes filles en s'en allant ne trouvaient plus rien à se dire, tant elles étaient frappées de la grâce qui venait de toucher la pauvre femme. Blanche dit enfin tout bas :

« N'as-tu pas senti quelque chose de très doux quand tu l'as vue pleurer ?

– Oui, il m'a semblé que Dieu nous dédommageait de toutes nos peines. Ah ! chère demoiselle, c'est vous qui avez eu la bonne idée de venir.

Le baiser de la charité.

– Oui, mais c'est toi qui as donné la première ce baiser que Dieu a béni. »

Les premières communiantes rejoignirent le cortège qui se rendait à l'église, et pendant que les enfants priaient et chantaient, il y avait une grande fête dans les cieux, car une vieille pécheresse était là qui se tenait humblement à la porte et qui, du fond de son cœur, disait : J'irai trouver mon père, je lui dirai : j'ai péché contre le ciel et contre vous !

## XXIV
### L'héritage de la nourrice.

Les plus beaux jours finissent. Dans quelques heures Blanche dira : il est passé, le jour de ma première Communion. En attendant, elle est assise près de sa mère et lui parle avec instances, demandant une faveur que M^me Tenassy désire lui accorder et qui cependant soulève des difficultés.

« Non seulement j'y consens, ma chère fille, disait-elle, mais encore ce serait pour moi un véritable bonheur. Va, essaye, peut-être réussiras-tu ? Monte chez ma nourrice, fais-toi accompagner par Aline, et, à vous deux, tâchez de gagner le fameux procès que j'ai perdu, moi, le jour de mon mariage.

– Montons, dit Blanche, sautant de plaisir, viens avec moi, chère Aline, ta présence m'est nécessaire ; viens, tâchons de décider Nanette à s'asseoir à notre table en ce beau jour. C'est ma fête, à moi, et, pour qu'elle soit complète, il me faut ma vieille Nanette, ma chère Nounou. »

Les cousines montèrent lestement et arrivèrent chez la nourrice qui, fatiguée des émotions du jour, s'était endormie dans son grand fauteuil.

« Ne l'éveillons pas, dit Blanche, ces petits sommes lui font tant de bien ! Causons tout bas jusqu'à ce qu'elle ouvre les yeux. »

M^lle de Saint-Clair prit un siège, et sa compagne s'assit, comme elle faisait souvent, sur un grand tabouret où reposaient les pieds de sa vieille amie.

« Que j'aime cette chambre, dit Aline, elle ressemble à un

sanctuaire.

– C'est là, répondit Blanche, que j'ai passé de bien bons moments depuis le jour où j'ai senti ma première peine, car j'ai eu mille chagrins, tu le sais, mille chagrins que je me suis faits à moi-même, et dont elle m'a toujours consolée. C'est ici, je ne l'oublierai jamais, c'est ici que l'année dernière j'ai entendu conter par elle l'histoire de maman, et j'ai tenu sur mes genoux cette grande boîte en palissandre qu'elle a nommée son trésor, et qui sera le mien quand la nourrice s'en ira dans le ciel.

– Tu m'as dit, ma chère Blanche, que ce jour là il s'était fait en toi une grande secousse.

– Oui, j'ai regretté pour maman qu'elle n'eût pas une bonne fille, comme elle le méritait si bien. Peu après, j'ai entendu conter par elle l'histoire de la nourrice, et quand j'ai vu combien s'estimaient ces deux belles âmes à qui j'étais confiée, j'ai eu honte, je me suis trouvée trop indigne d'elles, j'ai essayé de mieux faire, et mes premiers efforts ont été bénis. Pour m'encourager, maman m'a promis une belle récompense, oh ! bien belle ! Il y avait dans ce village une pauvre enfant pas plus grande que moi et déjà malheureuse ; on m'a permis de lui faire du bien si j'étais sage, et, parce que je suis devenue meilleure, Madeleine est heureuse ; oui, elle se trouve heureuse avec bien peu de chose, elle me l'a dit encore aujourd'hui ; ainsi, ma chère Aline, ce qui a changé ma vie, c'est le bon exemple et la charité. »

On en était là lorsque la respectable Nanette ouvrit doucement les yeux : son premier regard enveloppa l'enfant qu'elle vit assise à ses pieds. Alors commença le grand combat : Blanche se fit toute petite pour prendre la nourrice par son faible, en lui rappelant ses poupons, elle s'assit sur ses genoux, l'appela Nounou cent fois et lui dit qu'il fallait, mais qu'il fallait absolument, la suivre dans la salle à manger et prendre part au dîner de famille. Comme elle s'en défendait cérémonieusement, Aline prit la parole et déclara qu'un refus lui ferait d'autant plus de peine qu'elle ne l'attribuerait qu'à sa seule présence, elle étrangère. Cet argument ébranla Nanette, les tiraillements aimables de Blanche firent le reste : bref on l'emmena comme en triomphe, et M^me Tenassy, qui l'attendait les bras ouverts, la fit asseoir à table en face d'elle, à la place de ce cher soutien de la

L'héritage de la nourrice.

famille qui manquait, et dont elle avait aidé à supporter l'absence.

Le repas fut joyeux et tranquille, ce petit comité avait un charme particulier ; c'était un hommage du cœur, et M^me Tenassy qui ne se lassait point de contempler sa fille rencontrait toujours sur l'enfant le regard fidèle qui les avait caressées toutes deux au berceau.

Être heureuses devant Aline, c'était assez lui dire qu'elle ne gênait point ; la bonne jeune fille si différente de son passé en était toute fière, et les liens de famille se resserraient pour elle.

Au dessert, on s'égaya tout à fait : la vieille nourrice fit des folies, elle prit du café, elle but de l'anisette, et comme, en la voyant rire, on lui demandait une petite chanson, elle se mit sans façon à fredonner de sa voix chevrotante les couplets naïfs qui endormaient Athénaïs enfant. Oh ! qu'il finit bien ce grand jour dans l'effusion de ces tendres amitiés !

Après le dîner, on emmena la nourrice au coin du feu du salon, elle se laissa faire comme vaincue à force de se sentir aimée, on se mit à causer, on se chauffa, tout allait bien, lorsque Nanette parut se disposer à remonter dans sa chambre.

« Vas-tu faire un petit somme ? demanda Blanche. Oh ! c'est ici qu'il faut dormir, n'est-ce pas, maman ?

– Certainement. Dors, nourrice, dit M^me Tenassy du son de voix le plus caressant, dors, nous ne ferons pas plus de bruit que tu n'en faisais en Italie quand je dormais, moi, tu sais ? »

Un sourire de béatitude éclaira le visage ridé de Nanette, ce nom d'Italie lui était si doux ! Et puis, elle se voyait si tendrement chérie ! Une affection presque filiale lui était donnée par ces deux êtres qu'elle avait tant aimés ! On avait payé la nourrice, payé de cet or pur, qui seul acquitte les dettes du cœur !

« Je ne veux pas dormir, dit-elle gaiement, je vais chercher là-haut quelque chose dont j'ai besoin, et comme c'est un peu lourd, que je suis un peu fatiguée, et que M^lle Aline est très bonne, je la prie de vouloir bien monter avec moi. »

Aline se sentit heureuse de cette nouvelle preuve de confiance ; toutes deux sortirent, et au bout de quelques minutes on les vit rentrer au salon. La nourrice avait cette expression de visage que Blanche avait vue rarement et qui donnait de la solennité à ses plus simples paroles : elle semblait se recueillir comme avant un grand acte, et Aline portait la boîte de palissandre, qui jamais, depuis si longtemps, n'avait quitté la chambre de Nanette.

« Ma chère Blanche, dit la nourrice, vous êtes bien jeune, mais pour moi voici la fin de la carrière ; je le dis sans amertume parce que je sais bien que Dieu est trop bon pour ne pas me laisser vous revoir un jour, vous et votre mère.

« Quand on s en va, voyez-vous, le cœur vous manque ; pourquoi attendre et ne pas voir jouir son héritière ?... or, j'ai une héritière.

– C'est moi, c'est moi, tu me l'as dit, interrompit Blanche ; mais, ma Nounou, quand on est aimée comme toi, vois-tu, on ne meurt jamais ! »

Blanche, en disant cette folie du cœur, sentit des larmes monter à ses yeux : elle regarda tendrement Nanette qui prit son beau trésor et le posa dans les bras de la communiante en disant :

« Gardez-le comme je l'ai gardé, vous le montrerez un jour à vos enfants, et vous leur direz qu'il faut être bons, et que je vous aimais bien ! »

Blanche reçut avec transport l'héritage de sa vieille amie : « Merci, merci, dit-elle, je vais le mettre dans ma chambre, tu viendras souvent l'y revoir, et nous l'appellerons toutes deux mon trésor. »

Elle ouvrit la boîte et rougit en apercevant dans un coin sa collerette et l'inscription. « Quoi ! dit-elle bien bas, je croyais que le bon Dieu tout seul avait vu cela.

– Il a bien voulu me le montrer, répondit la bonne femme en souriant ; allez, ce n'est pas pour rien qu'on l'appelle le bon Dieu ! »

Une tendre causerie acheva de remplir la soirée. La pendule sonnait dix heures quand on songea à se séparer, la fête était finie, mais le souvenir devait en rester toujours.

« Bonsoir, dit affectueusement M^{me} Tenassy, allons, dis-nous que demain tu reviendras comme aujourd'hui à la table de famille ; qui donc est de la famille plus que toi ?

– Bonsoir, répondit humblement la nourrice, je veux finir comme j'ai commencé. Devant tous, Dieu vous a mise en haut et moi en bas. Il a bien fait toute chose : d'ailleurs, le temps s'approche où le père va réunir tous ses enfants. »

L'héritage de la nourrice.

Alors, comme M^{me} Tenassy paraissait attristée, la nourrice se pencha vers elle seule, et, reprenant le langage du vieux temps, lui dit avec une inexprimable tendresse :

« Que je sois là ou là, qu'est-ce que ça fait ? Athénaïs, ma place est dans ton cœur. »

ISBN : 978-3-98881-724-2

Milton Keynes UK
Ingram Content Group UK Ltd.
UKHW011944190124
436321UK00004B/365